D0635473

PEARL HARBOUR

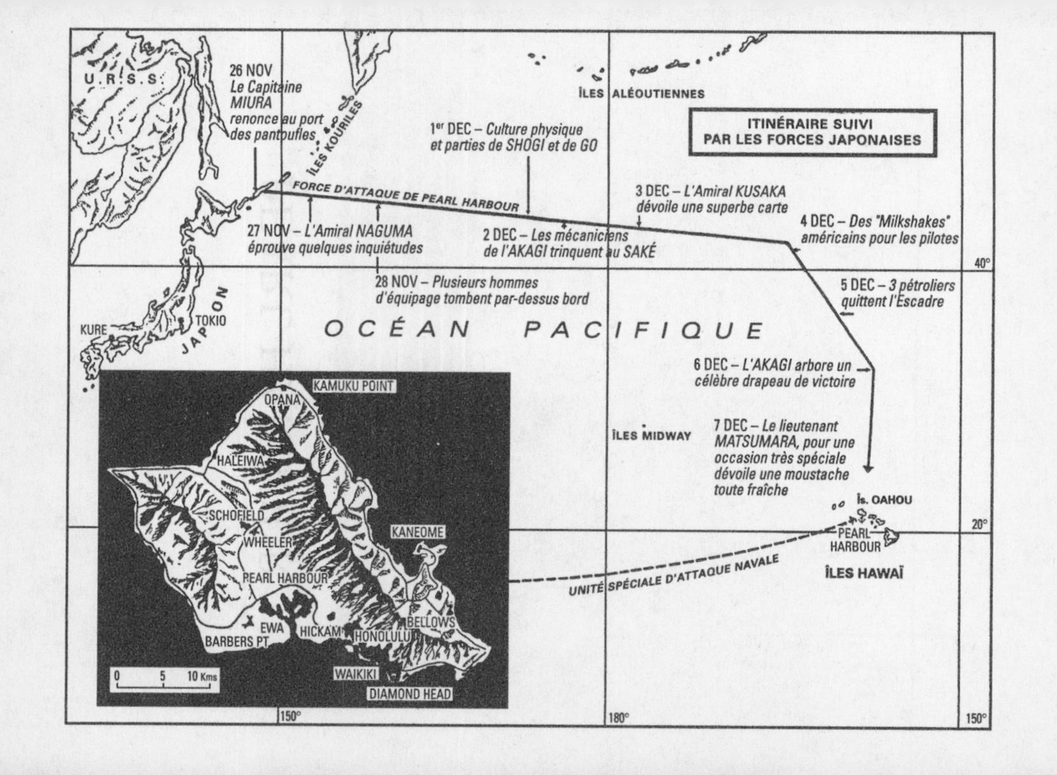
ITINÉRAIRE SUIVI
PAR LES FORCES JAPONAISES
U.R.S.S.
ÎLES KOURILES
ÎLES ALÉOUTIENNES
JAPON
KURE
TOKIO
OCÉAN PACIFIQUE
FORCE D'ATTAQUE DE PEARL HARBOUR
26 NOV
Le Capitaine
MIURA
renonce au port
des pantoufles
27 NOV – L'Amiral NAGUMA
éprouve quelques inquiétudes
28 NOV – Plusieurs hommes
d'équipage tombent par-dessus bord
1er DEC – Culture physique
et parties de SHOGI et de GO
2 DEC – Les mécaniciens
de l'AKAGI trinquent au SAKÉ
3 DEC – L'Amiral KUSAKA
dévoile une superbe carte
4 DEC – Des "Milkshakes"
américains pour les pilotes
5 DEC – 3 pétroliers
quittent l'Escadre
6 DEC – L'AKAGI arbore un
célèbre drapeau de victoire
7 DEC – Le lieutenant
MATSUMARA, pour une
occasion très spéciale
dévoile une moustache
toute fraîche
ÎLES MIDWAY
Îs. OAHOU
PEARL
HARBOUR
ÎLES HAWAÏ
UNITÉ SPÉCIALE D'ATTAQUE NAVALE
40°
20°
150°
180°
150°
KAMUKU POINT
OPANA
HALEIWA
SCHOFIELD
WHEELER
PEARL HARBOUR
KANEOME
BELLOWS
EWA
HICKAM
HONOLULU
BARBERS PT
WAIKIKI
DIAMOND HEAD
0
5
10 Kms

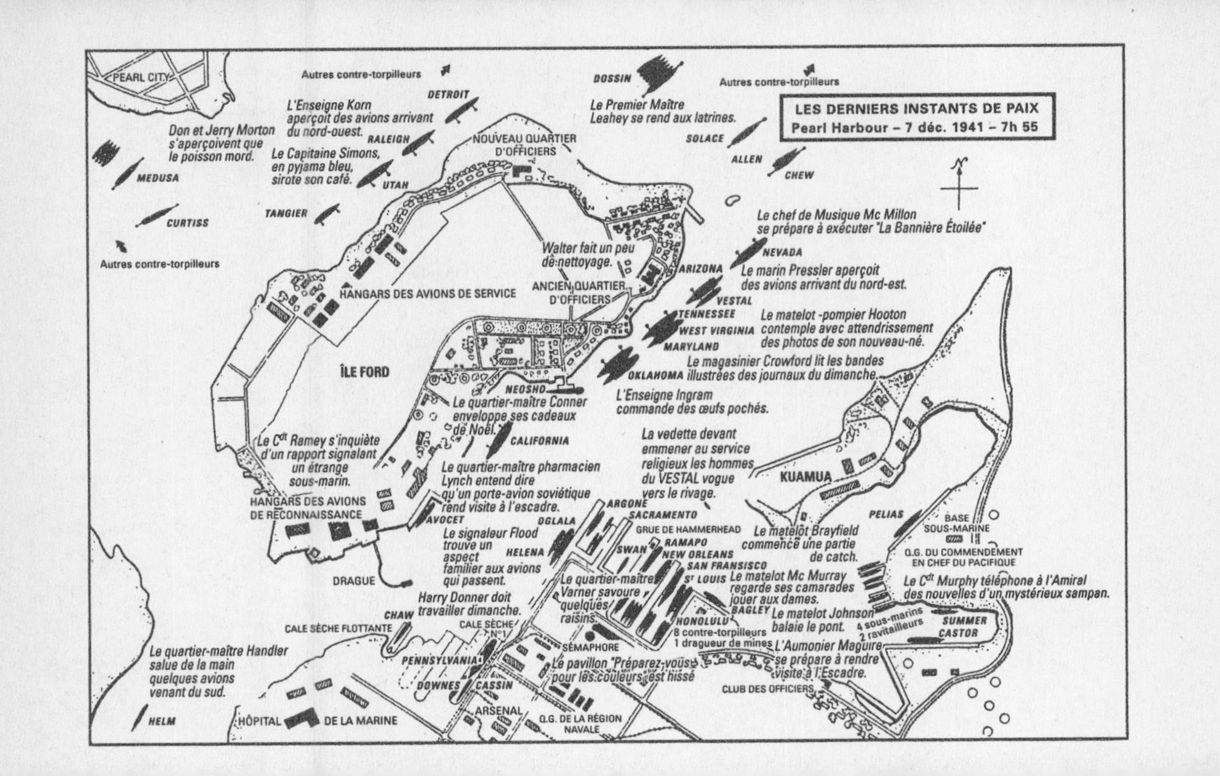
LES DERNIERS INSTANTS DE PAIX
Pearl Harbour – 7 déc. 1941 – 7h 55
PEARL CITY
Autres contre-torpilleurs
DETROIT
L'Enseigne Korn aperçoit des avions arrivant du nord-ouest.
Don et Jerry Morton s'aperçoivent que le poisson mord.
RALEIGH
Le Capitaine Simons, en pyjama bleu, sirote son café.
UTAH
MEDUSA
TANGIER
CURTISS
Autres contre-torpilleurs
DOSSIN
Le Premier Maître Leahey se rend aux latrines.
Autres contre-torpilleurs
SOLACE
ALLEN
CHEW
NOUVEAU QUARTIER D'OFFICIERS
Le chef de Musique Mc Millon se prépare à exécuter "La Bannière Étoilée"
NEVADA
Walter fait un peu de nettoyage.
ARIZONA
Le marin Pressler aperçoit des avions arrivant du nord-est.
HANGARS DES AVIONS DE SERVICE
ANCIEN QUARTIER D'OFFICIERS
VESTAL
TENNESSEE
WEST VIRGINIA
Le matelot -pompier Hooton contemple avec attendrissement des photos de son nouveau-né.
MARYLAND
Le magasinier Crowford lit les bandes illustrées des journaux du dimanche.
ÎLE FORD
OKLAHOMA
NEOSHO
L'Enseigne Ingram commande des œufs pochés.
Le quartier-maître Conner enveloppe ses cadeaux de Noël.
CALIFORNIA
Le Cdt Ramey s'inquiète d'un rapport signalant un étrange sous-marin.
La vedette devant emmener au service religieux les hommes du VESTAL vogue vers le rivage.
Le quartier-maître pharmacien Lynch entend dire qu'un porte-avion soviétique rend visite à l'escadre.
KUAMUA
HANGARS DES AVIONS DE RECONNAISSANCE
ARGONE
SACRAMENTO
AVOCET
OGLALA
GRUE DE HAMMERHEAD
PELIAS
BASE SOUS-MARINE
Le signaleur Flood trouve un aspect familier aux avions qui passent.
HELENA
SWAN
RAMAPO
NEW ORLEANS
Le matelot Brayfield commence une partie de catch.
Q.G. DU COMMENDEMENT EN CHEF DU PACIFIQUE
SAN FRANSISCO
DRAGUE
Le quartier-maître Varner savoure quelques raisins.
ST LOUIS
Le matelot Mc Murray regarde ses camarades jouer aux dames.
Le Cdt Murphy téléphone à l'Amiral des nouvelles d'un mystérieux sampan.
Harry Donner doit travailler dimanche.
CHAW
BAGLEY
Le matelot Johnson balaie le pont.
HONOLULU
4 sous-marins
2 ravitailleurs
SUMMER
CASTOR
CALE SÈCHE N°1
CALE SÈCHE FLOTTANTE
8 contre-torpilleurs
1 dragueur de mines
SÉMAPHORE
L'Aumonier Maguire se prépare à rendre visite à l'Escadre.
Le quartier-maître Handler salue de la main quelques avions venant du sud.
PENNSYLVANIA
Le pavillon "Préparez-vous pour les couleurs" est hissé
DOWNES
CASSIN
CLUB DES OFFICIERS
ARSENAL
HELM
HÔPITAL DE LA MARINE
Q.G. DE LA RÉGION NAVALE

WALTER LORD

PEARL HARBOUR

7 décembre 1941

ÉDITIONS ROBERT LAFFONT

Traduit de l'anglais
par Bernard Ullmann

ISBN : 2-266-11381-X

Avant-propos

C'est arrivé le dimanche 7 décembre 1941.

Une partie de l'Amérique l'apprit alors qu'elle écoutait le radio-reportage du match de football « Dodgers » contre « Giants » à New York. Ward Cuff venait de renvoyer un coup franc, lorsque à 14 h. 26 (heure locale) la station de radio W.O.R. interrompit son programme pour passer un premier bulletin : les Japonais avaient attaqué Pearl Harbour.

Une autre partie de l'Amérique le sut une demi-heure plus tard, alors qu'elle s'apprêtait à entendre un concert radiodiffusé par l'orchestre philharmonique de New York au Carnegie Hall. Les musiciens placés sous la direction d'Artur Rodzinski allaient commencer la symphonie Numéro Un de Chostakovitch quand la C.B.S. répéta un bulletin qui annonçait l'attaque.

Dans la salle de concerts, les auditeurs l'apprirent encore plus tard, lorsque le présentateur, Warren Sweeney, le leur annonça à la fin du programme. Il les invita alors à entonner en chœur l'hymne national américain, *La Bannière Étoilée*. Il avait déjà été joué au début du concert, mais les auditeurs n'avaient fait alors que le fredonner. Cette fois, ils chantèrent les paroles.

D'autres gens l'apprirent par d'autres sources, mais aucun d'entre eux n'oublia jamais cette journée. Presque tous les Américains qui vivaient à cette époque se souviennent de la manière dont ils ont entendu la nouvelle. Ils ont soigneusement retenu ce moment, en ont conservé le souvenir, car ils savaient instinctivement à quel point leur vie allait être bouleversée par ce qui se passait à Hawaii.

Le livre que voici est l'histoire de cette journée.

I

Avant 03 heures 30

Monica Conter, une jeune infirmière militaire, et le sous-lieutenant Barney Benning, de l'artillerie côtière, quittèrent le cercle des officiers de Pearl Harbour. Ils descendirent le sentier le long des arbres de teck et s'arrêtèrent près de l'embarcadère du cercle, pour contempler le va-et-vient des vedettes ramenant les matelots vers les navires de guerre mouillés dans la baie.

Ils étaient fiancés. Le décor leur semblait idéal. La nuit cachait à leurs yeux les ateliers, la grande grue marteau-pilon, tout l'outillage industriel de la grande base navale de Hawaii. Seuls demeuraient la beauté, le clair de lune... la musique de danse que l'on entendait du cercle, les feux de la flotte du Pacifique qui scintillaient à travers la baie.

Il n'y avait jamais eu tant de lumières. Pour la première fois durant un week-end depuis le 4 juillet, tous les cuirassés se trouvaient réunis dans le port. D'ordinaire, ils se relayaient. Il y en avait généralement six en mer avec l'escadre de cuirassés de l'amiral Pye, ou trois avec l'escadre de porte-avions de l'amiral Halsey. Ce jour-là, c'était au tour de Pye de se trouver au port, mais Halsey avait reçu l'ordre d'effectuer une mission spéciale qui l'avait obligé à laisser les cuirassés au port. Washington avait envoyé un message secret de « danger de guerre », aux termes duquel on pouvait s'attendre à voir le Japon attaquer « les Philippines, le Siam, la péninsule malaise et peut-être Bornéo ». En conséquence, le porte-avions *Enterprise* transportait vers l'île de Wake un groupe de chasse des « Marines[1] » destiné à en renforcer la garnison. Les cuirassés, plus lents, auraient réduit de 30 à 17 nœuds la vitesse des porte-avions, et ils étaient considérés comme trop vulnérables pour pouvoir manœuvrer sans la protection de ces porte-avions. Le seul autre porte-avions de la base, le *Lexington*, était parti amener des avions à l'île de Midway. Aussi les cuirassés étaient-ils restés à Pearl Harbour, et, croyait-on, en sûreté.

L'escadre se trouvant ainsi au port, le cercle des officiers que regagnèrent Monica Conter et le sous-lieutenant, pour y rejoindre un groupe d'amis à leur table, paraissait encore plus gai et plus bondé qu'à l'ordinaire. Quelqu'un proposa de téléphoner au lieutenant Bill Silvester, un de leurs amis communs, qui, ce soir-là, dînait à Honolulu même, à une douzaine de kilomètres du club. Monica alla l'appeler et lui reprocha en riant de laisser tomber ses copains. C'était là une communication parfaitement banale entre jeunes gens. Mais il se trouvait que Bill Silvester était en train de vivre sa dernière soirée.

Dans la salle de bal, un certain nombre de gens payaient chacun leur part. À d'autres tables, des officiers avaient invité des amis. Dans la page mondaine de l'édition du dimanche du *Honolulu Advertiser*, le lendemain matin, on pourrait lire : « Le capitaine de vaisseau et Mme Montgomery E. Higgins ont donné une réception au cercle des officiers de Pearl Harbour... Le capitaine de corvette et Mme Harold Pullen ont donné un dîner au cercle des officiers de Pearl Harbour... »

1. Le corps des « Marines » possède sa propre aviation, ainsi que la marine américaine. L'armée de l'air proprement dite, qui constitue aujourd'hui une arme indépendante, était alors rattachée à l'armée de terre (N.D.T.).

L'atmosphère était gaie, mais collet monté. Le bar fermait toujours à minuit. L'orchestre semblait retarder quelque peu. Son grand air, *Douce Leilani*, avait été à la mode quatre ans auparavant. Quant au club lui-même, il présentait le décor classique de chrome, de contreplaqué et de simili-cuir qui caractérise partout les cercles d'officiers américains. Mais les prix étaient raisonnables — on y dînait pour un dollar — et l'ambiance sympathique. Le 6 décembre 1941, tout le monde semblait encore se connaître dans la marine des États-Unis.

À une trentaine de kilomètres au nord-ouest, le général de brigade Durward S. Wilson, commandant la 24e division d'infanterie, passait une soirée du même genre au club des officiers du camp de Shofield. Là aussi la soirée dansante hebdomadaire du samedi paraissait encore plus gaie que d'habitude — beaucoup des hommes des 24e et 25e divisions d'infanterie venaient de terminer une dure semaine de manœuvres en campagne, et puis on applaudissait « le Spectacle Ann Etzler », une soirée de bienfaisance organisée chaque année par « l'une des talentueuses jeunes femmes de la garnison », comme disait galamment le général Wilson. Le spectacle, peut-être un peu pompier, comprenait des chants et des danses d'amateurs. Mais après tout, il avait un but charitable, et toutes les notabilités locales, y compris le général de corps d'armée Walter C. Short, commandant en chef la région militaire de Hawaii, avaient à cœur de l'encourager.

En fait, le général Short était en retard. Il avait été surpris par un coup de téléphone au moment même où, en compagnie de son officier de renseignements, le lieutenant-colonel Kendall Fielder, il quittait, pour venir au cercle, sa résidence de Fort Shafter, le quartier général administratif des forces terrestres à la lisière de Honolulu. Le lieutenant-colonel George Bicknell, chef du service de contre-espionnage de Short, était au bout du fil. Il leur demanda de l'attendre. Il avait quelque chose d'intéressant à leur montrer. Le général acquiesça mais l'invita à se dépêcher.

Bicknell arriva à 18 h. 30. Et tandis que Mme Short et Mme Fielder attendaient en trépignant d'impatience dans la voiture, les trois hommes s'assirent sur la terrasse du général. Le colonel Bicknell montra à son chef la transcription d'une communication téléphonique captée la veille par le F.B.I.

Il s'agissait d'un appel lancé de Tokyo par un journaliste du quotidien japonais *Yomiuri Shinbun* au docteur Motokazu Mori, un dentiste japonais habitant Honolulu et marié au correspondant local de ce journal.

Tokyo posait toutes sortes de questions sur les avions, les projecteurs, le nombre de marins qui se trouvaient là... et aussi sur les fleurs. « Il y a actuellement moins de fleurs, répondait le docteur Mori, qu'à aucun autre moment de l'année. Cependant les hibis et les pois de senteur ont maintenant éclos. »

Les trois officiers demeurèrent perplexes. Pourquoi faire les frais d'une communication transpacifique pour parler de fleurs ? Par contre, s'il s'agissait d'un langage chiffré, pourquoi parler en clair de sujets tels que les avions et les projecteurs ? Et un espion se servirait-il du téléphone ? En dehors de tout cela, de quoi pouvait-il bien s'agir ? Y avait-il une corrélation quelconque entre cette communication suspecte et le câble reçu récemment de Washington qui annonçait « action ennemie possible à tout moment » ?

Un quart d'heure, une demi-heure, près d'une heure s'écoulèrent sans qu'ils parviennent à se mettre d'accord sur une interprétation. Finalement, le général Short laissa discrètement entendre que le colonel Bicknell faisait de « l'espionnite ». De toute façon, on ne pouvait rien faire ce soir et il valait mieux y réfléchir encore et en reparler le lendemain matin.

Il était près de 19 h. 30 lorsque le général et le colonel Fielder vinrent rejoindre leurs épouses, à présent dans un état d'exaspération totale. Ils parcoururent les 25 kilomètres qui les séparaient de Shofield. Lorsque les deux officiers pénétrèrent dans la salle de danse, ils remarquèrent à peine les colonnes de basalte décorées de fougères pour la soirée de gala. Ils étaient encore trop préoccupés par cette communication Mori.

Le général Short but deux cocktails — il ne buvait jamais après dîner — et passa péniblement les deux heures qui suivirent. C'était peut-être cette affaire Mori. Peut-être les déficiences d'entraînement et d'équipement du secteur dont il avait la responsabilité — tout était en quantités insuffisantes. Peut-être aussi les risques de sabotage. Pour le général Short, l'avertissement de Washington se traduisait par un danger essentiel : celui d'un soulèvement des 157 905 civils de race japonaise vivant à Hawaii, qui pourrait coïncider avec toute initiative de Tokyo en Extrême-Orient. Il avait immédiatement mis en garde tous ses subordonnés contre les risques de sabotage, fait soigneusement aligner les avions sur les chemins d'accès aux pistes de décollage, où il était plus facile de les surveiller. Il avait ensuite rendu compte au Département de la Guerre. À Washington, on semblait satisfait, mais la crainte d'une cinquième colonne japonaise continuait à le hanter. — N'était-ce pas ainsi que l'Axe frappait toujours ?...

À 21 h 30, il ne put plus y tenir. Les Short et les Fielder quittèrent le cercle et reprirent la route de Fort Shafter. Comme ils redescendaient vers la ville, Pearl Harbour s'étala à leurs pieds dans le lointain. La flotte du Pacifique brillait de tous ses feux et, de temps en temps, le pinceau lumineux d'un projecteur allait fouiller le ciel. C'était un de ces instants où l'on oublie les soucis de la journée, pour se laisser pénétrer par la beauté de la nuit. « Quel magnifique spectacle ! » soupira le général Short. Et il ajouta pensivement : « Et quelle belle cible ! »

L'homologue naval du général Short, l'amiral Husband E. Kimmel, commandant en chef de la flotte du Pacifique, passait une soirée encore moins mouvementée à Honolulu. Il dînait tranquillement à l'hôtel « Halekulani », un des rendez-vous favoris de Waikiki, agréable mais légèrement guindé. Un certain nombre d'officiers supérieurs de la marine y habitaient avec leurs femmes et, ce soir-là, l'amiral Fairfax Leary et son épouse donnaient un petit dîner auquel assistait le commandant en chef. La soirée n'était rien moins qu'animée. Elle était si calme, en fait, que deux des convives féminins allèrent s'enfermer dans une chambre à l'étage supérieur pour y avaler des boissons un peu plus corsées.

Mais il faut bien dire que l'amiral Kimmel n'avait rien d'un mondain. C'était un homme dur, intelligent et d'une franchise totale, et un travailleur acharné. Se détendre consistait pour lui à marcher d'un pas rapide, accompagné par quelques-uns de ses officiers, non à bavarder dans les cocktails. Trop de confort le rendait mal à l'aise — il allait jusqu'à estimer que les tenues kaki alors introduites depuis peu dans la marine américaine « nuisaient à la dignité et à l'esprit militaire de ceux qui les portaient ».

L'amiral Kimmel n'était pas un homme aisé à comprendre, et le poste qu'il occupait ne facilitait pas les choses. Il avait été promu par-dessus la tête de 32 amiraux. Si ses relations avec des subordonnés qui avaient été jusque-là ses supérieurs étaient toujours parfaitement correctes, elles manquaient évidemment de spontanéité. Et puis surtout, des responsabilités écrasantes pesaient sur lui en tant que commandant en chef : il lui fallait pourvoir la flotte des nouveaux armements qui lui parvenaient, entraîner les nouvelles recrues, prévoir les opérations contre le Japon en cas de guerre...

L'amiral avait passé le début de l'après-midi à étudier la situation avec les membres de son état-major. Les Japonais étaient en train de modifier leurs codes de transmission, leur flotte avait changé ses indicatifs deux fois en un mois, leurs porte-avions avaient disparu. Mais il était évidemment normal que les Japonais prennent des précautions dans une période aussi tendue, et on ne pouvait attacher *a priori* de signification particulière à la disparition des porte-avions — le service de renseignements de la marine américaine les avait déjà perdus douze fois depuis six mois. Tout événement important ne pourrait d'ailleurs prendre place qu'en Asie du Sud-Est ; les spécialistes de Washington et de Hawaii, les journalistes, tout le monde en était persuadé. Personne ne s'attendait qu'il se passe quelque chose du côté de Hawaii. Afin de soulager Kimmel, la responsabilité de la défense de la base avait été confiée à l'armée de terre et à la 14e région navale dépendant théoriquement de Kimmel, mais que l'amiral Claude C. Bloch commandait en fait à peu près sans contrôle. De toute façon, la défense des îles Hawaii semblait un problème plus académique que pratique. Une semaine seulement auparavant, le capitaine de vaisseau Charles Mac Morris, chef du bureau des opérations, avait affirmé à l'amiral Kimmel, qui lui demandait s'il existait un risque quelconque d'attaque surprise sur Honolulu : « C'est absolument exclu. »

La conférence d'état-major prit fin vers 3 heures de l'après-midi. L'amiral se rendit vers 17 h. 45 au dîner des Leary qu'il quitta vers 21 h. 30 pour se coucher vers 22 heures. La semaine avait été longue et fatigante, et le lendemain l'amiral devait se lever tôt pour aller jouer au golf avec le général Short.

La plupart des officiers se couchèrent plus tard, mais leurs soirées ne furent guère plus passionnantes. Le contre-amiral Robert A. Theobald, commandant la 1re flottille de contre-torpilleurs, dansa jusqu'à minuit au Pacific Club. Le capitaine de corvette S.S. Isquith, officier-mécanicien du bateau cible *Utah*, joua aux cartes au club de bridge. Et le jeune enseigne de vaisseau Victor Delano, frais émoulu de l'école navale d'Annapolis, passa une soirée sans imprévu chez le vice-amiral Walter Anderson, commandant la 4e division de cuirassés.

Les sous-officiers et les hommes de troupe se dispersèrent beaucoup plus dans la nature. Par milliers, ils envahirent Honolulu, venant de leurs camps et de leurs postes situés dans toutes les régions de l'île de Oahu en autobus, dans de vieilles guimbardes et d'antiques taxis.

La plupart d'entre eux s'arrêtèrent d'abord à la Y.M.C.A.[1] d'où, après avoir parfois avalé rapidement un verre au café du « Chat Noir », ils se répandirent à travers la ville. Quelques-uns traînèrent dans les bars de la plage de Waikiki, tandis que d'autres allaient voir une comédie musicale. Mais la plupart envahirent « Hotel Street », une rue remplie de stands de tir, d'ateliers de tatouages, d'appareils à sous, de photographes et de boutiques de « souvenirs ». La patrouille en ville dut intervenir pour séparer deux matelots du croiseur *Honolulu* qui se battaient, arrêta un matelot du *California* muni d'une permission établie au nom d'un de ses camarades, et un homme de la base aéronavale de Kaneohe pour « propos séditieux ». Mais dans l'ensemble la soirée fut remarquablement calme, et on n'enregistra que 5 délits sérieux, contre 43 du 1er au 6 décembre.

1. Association chrétienne des jeunes gens.

La police militaire de l'armée de terre n'eut pas grand-chose à faire non plus ; quelque 25 soldats, sur les 42 592 de la garnison, furent ramassés ivres morts dans la rue et envoyés au poste de police de Fort Shafter pour cuver leur bière. En dehors de cela, rien à signaler.

Car un très grand nombre de soldats et de marins passèrent cette soirée du samedi dans leurs casernements ou à bord de leurs navires. À Pearl Harbour, le matelot de pont Robert E. Jones alla assister, avec bon nombre de ses camarades, à la finale d'un concours de musique entre les fanfares des différents navires de la flotte. C'est celle du *Pennsylvania* qui gagna. Après quoi, tout le monde chanta « Que Dieu sauve l'Amérique », et la soirée se termina par un bal.

Lentement les hommes regagnèrent leurs bâtiments. Les bars de « Hotel Street » fermèrent leurs portes, tandis que, respectant les règlements très stricts alors en vigueur à Honolulu, les orchestres de danse faisaient silence. Ici et là, on apercevait au coin des rues quelques couples attardés. Le sous-lieutenant Fred Freeg, de la base de Shofield, demanda en mariage Evolin Dwyer, qui dit oui. L'enseigne de vaisseau William Hasler, du *West Virginia*, eut moins de chance. Mais heureusement pour lui, il devait apprendre par la suite que les femmes changent parfois d'avis. Le lieutenant Benning ramena Monica Conter à Hickam, où elle était cantonnée. Là ils décidèrent de l'emploi de leur dimanche : baignade, cinéma, pique-nique.

Vers 3 heures du matin, le dimanche 7 décembre, seuls les militaires en service, ou ceux qui n'avaient pas trouvé de gîte, se trouvaient encore dehors. Ainsi l'opérateur de radio Fred Glaeser, n'ayant pas trouvé de lit à la Y.M.C.A., s'installa tant bien que mal dans sa voiture pour y passer la nuit. Le lieutenant Kermit Tyler, un jeune pilote de la base de Wheeler, lui, était déjà debout car il allait prendre son service. Il devait assurer la veille, de 4 à 8 heures du matin, au nouveau centre d'interception de l'armée de Fort Shafter. Sur la route, il alluma le poste de radio de sa voiture pour écouter les disques hawaiiens de la station de Honolulu, K.G.M.B.

À 320 milles au nord, à bord du porte-avions japonais *Akagi,* quelqu'un d'autre écoutait avec une attention passionnée le même programme. C'était le capitaine de frégate Kangiro Ono, officier de transmission du vice-amiral Chuigi Nagumo, commandant une immense flotte japonaise comprenant six porte-avions, deux cuirassés, trois croiseurs, et neuf contre-torpilleurs, qui faisait route à toute vapeur vers le sud à travers la nuit. L'amiral Nagumo se préparait à lancer un assaut général contre la flotte américaine à Pearl Harbour, et le facteur surprise devait y jouer un rôle essentiel. Il pensait que si les Américains avaient même un soupçon très vague de ce qui les attendait, leurs programmes de radio en donneraient une indication.

Mais seules retentissaient les douces mélodies des guitares hawaiiennes. L'amiral Nagumo se sentit soulagé. Il semblait bien que les préparatifs minutieux des Japonais n'avaient pas été vains.

II

Avant 03 heures 30

Dix mois s'étaient écoulés depuis que l'amiral Isoriku Yamamoto, commandant en chef des forces navales japonaises, avait lancé tranquillement cette remarque à la tête du contre-amiral Takajiro Onishi, chef d'état-major de la 11e flotte aérienne : « Si nous devions faire la guerre à l'Amérique, notre seule chance de vaincre serait de détruire la flotte américaine dans les eaux de Hawaii. »

Après quoi il avait donné l'ordre à l'amiral Onishi de commencer à étudier la possibilité d'une attaque surprise sur Pearl Harbour. Onishi fit appeler le capitaine de frégate Minoru Genda, un des meilleurs spécialistes de l'armée aérienne. Dix jours plus tard, ce dernier donnait son opinion motivée : risqué, mais possible.

Yamamoto n'en demandait pas plus. Quelques officiers triés sur le volet se mirent au travail, et en mai le contre-amiral Shigeru Fukudome, de l'état-major général de la marine, invitait le contre-amiral Ryonosuke Kusaka à prendre connaissance d'un volumineux dossier. Kusaka y trouva des pages entières de statistiques sur Pearl Harbour, mais aucun plan d'opération. « C'est justement là, lui dit Fukudome, ce que je veux que vous prépariez. »

Il s'agissait là, à première vue, d'une œuvre titanesque. La force américaine semblait gigantesque, Hawaii se trouvait à des milliers de kilomètres du

Japon. L'île de Oahu était truffée d'aérodromes. La rade même de Pearl Harbour était étroite et peu profonde, ce qui rendait difficile d'approcher des navires s'y trouvant. Et par-dessus le marché, le vice-amiral Nagumo, commandant la 1re flotte aérienne et désigné pour commander l'attaque au cas ou elle serait décidée, se montrait peu enthousiaste. Il était bien normal, dans ces conditions, que Kusaka, son chef d'état-major, se sente découragé.

« Cessez de répéter, lui déclara l'amiral Yamamoto, "il y a trop de risques", sous prétexte que j'ai une réputation bien établie de joueur. Vos objections, monsieur Kusaka, me sont parfaitement connues. Mais c'est moi qui ai eu l'idée de l'opération sur Pearl Harbour, et j'ai besoin de votre aide. »

Et peu à peu, le plan commença à prendre forme. Le commandant Genda passa l'été à effectuer des expériences de torpillage dans la mer intérieure, en eau peu profonde. Tout cela fut entouré d'un secret total. Vers la fin d'août, un jeune pilote de l'aéronavale, le lieutenant de vaisseau Toshio Hashimoto, portant des papiers dans le bureau d'un de ses chefs, surprit en ouvrant la porte un groupe d'officiers supérieurs penchés sur des plans de Pearl Harbour, portant le cachet « ultrasecret ». Personne ne le réprimanda, mais il n'en fut pas moins pétrifié par l'importance du secret qu'il venait de surprendre involontairement.

À la fin du mois d'août, l'amiral Yamamoto fut en mesure d'exposer son plan à un petit groupe d'officiers généraux, dont l'amiral Osami Nagano, chef d'état-major général de la marine. Puis, du 2 au 13 septembre, le plan fut étudié en détail sur le « banc d'essai » de l'École de guerre navale.

La force attaquante « perdit » deux porte-avions. L'amiral Nagano objecta que décembre était un mois de tempête. L'amiral Nagumo, commandant la

1re flotte aérienne qui devait jouer un rôle essentiel dans l'opération, continuait à élever des objections. D'autres officiers soutinrent que le Japon pouvait occuper l'Asie du Sud-Est sans que l'Amérique intervienne, et que si jamais elle intervenait, mieux vaudrait attaquer sa flotte moins loin des eaux japonaises.

Mais Yamamoto demeura sur ses positions. Selon lui, si la guerre éclatait, l'Amérique y participerait forcément... Sa flotte constituait l'obstacle principal et il fallait l'écraser sans attendre. Puis, pendant le temps nécessaire aux États-Unis pour se remettre, le Japon pourrait occuper tous les territoires qu'il lui fallait, et personne ne pourrait l'en déloger.

Son point de vue l'emporta et, le 13 septembre, le commandement de la marine approuva un plan général prévoyant une attaque combinée sur Pearl Harbour, la Malaisie, les Philippines et les Indes Néerlandaises.

Alors commença l'entraînement. Un par un, on recruta des hommes pour les postes clefs. Un brillant jeune capitaine de frégate, Mitsuo Fuchida, éprouva une légère surprise lorsqu'il se vit tout à coup transféré sur le porte-avions *Akagi*, qu'il avait quitté l'année précédente. Il fut beaucoup plus étonné encore de se voir nommé à la tête de toutes les unités aériennes de la 1re flotte aérienne. Le commandant Genda lui expliqua les choses en ces termes : « Ne vous inquiétez pas, Fuchida, mais nous voulons que vous commandiez notre aviation au cas où nous attaquerions Pearl Harbour. »

C'est l'amiral Yamamoto lui-même qui mit au courant le lieutenant Yishio Shiga et une centaine d'autres pilotes le 5 octobre. Il leur fit jurer le secret, leur exposa le plan et les invita à un effort acharné.

Les hommes s'entraînèrent plus dur qu'ils ne l'avaient jamais fait, surtout au lancement de torpilles à basse altitude et sur un objectif rapproché. Les torpilles elles-mêmes continuèrent à poser des problèmes en eaux peu profondes, coulant à pic ou s'enfonçant dans la boue. Le commandant Fuchida en arriva à se demander si l'on parviendrait jamais à les faire fonctionner. Mais Genda restait plein d'optimisme et affirmait que ces torpilles, une fois mises au point, se révéleraient comme l'arme parfaite. Et au début de novembre, il avait réussi. On fixa sur les ailettes de simples stabilisateurs de bois, destinés à empêcher les torpilles de heurter le fond, de moins de 14 mètres de profondeur, de Pearl Harbour.

Pendant ce temps-là, d'autres pilotes s'entraînaient au bombardement, car seul Genda jugeait que l'opération devait être effectuée uniquement à la torpille. De plus, les renseignements très détaillés qu'envoyait le consul général du Japon à Honolulu, Nagao Kita, indiquaient que les navires de guerre étaient fréquemment amarrés par paire. Or une torpille ne pourrait atteindre deux navires à la fois. Pour percer le blindage des ponts, les armuriers fixèrent des ailettes à des obus de 15 et 16 pouces.

De son côté, l'amiral Kusaka luttait contre la paperasse et la routine que l'on trouve dans toutes les marines du monde. En octobre, il se rendit à Tokyo afin de convaincre l'état-major de lui donner huit pétroliers, qui lui permettraient d'emmener six porte-avions au lieu de quatre. Malgré l'intérêt évident d'un tel supplément de force, il lui fallut plusieurs semaines pour secouer l'inertie des bureaux et obtenir ses pétroliers.

Le plus jeune capitaine de corvette de la marine impériale, Suguru Suzuki, âgé de trente-trois ans, se vit attribuer une mission beaucoup plus exaltante. Vers la fin du mois d'octobre, il embarqua à bord du paquebot japonais *Taiyo Maru* et effectua un voyage fort intéressant jusqu'à Honolulu. Au lieu de suivre l'itinéraire normal, le navire remonta très au nord, passa entre Midway et les îles Aléoutiennes, puis piqua au sud sur Honolulu, suivant exactement la route que devait emprunter la force navale japonaise pour éviter d'être détectée.

Le commandant Suzuki prit des tonnes de notes durant ce voyage. Il vérifia les vents, la pression atmosphérique, le roulis et le tangage du navire. Un hydravion de reconnaissance pourrait-il être lancé ? Oui. Le réapprovisionnement en carburant poserait-il des problèmes particuliers ? Oui. Il constata que, durant tout le voyage, le *Taiyo Maru* n'avait pas rencontré un seul navire.

Le commandant Suzuki passa une semaine très occupée à Honolulu. Par quelques visiteurs qui montèrent à bord, il apprit que la flotte américaine ne se rassemblait plus au mouillage de Lahaina comme elle le faisait précédemment. Il put confirmer que le week-end constituait une institution universellement respectée. Et il rassembla en plus quelques petits renseignements particulièrement intéressants, notamment des précisions sur la structure des hangars du terrain de Hickam. Il se procura également des photos aériennes de Pearl Harbour, datant du 21 octobre. Elles avaient été prises d'un avion privé qui pouvait embarquer tous les touristes qui le désiraient.

À Tokyo, les événements se précipitaient. Le 3 novembre, l'amiral Nagano donnait son approbation finale. Le 5 novembre, l'ordre du jour ultra-secret numéro un de la flotte combinée précisait le plan d'attaque. Le 7 novembre, l'amiral Nagumo était officiellement nommé commandant de la force d'attaque de Pearl Harbour. Le même jour, Yamamoto fixait en principe la date de l'opération : le 8 décembre suivant le calendrier japonais, soit le dimanche 7 décembre à Hawaii situé à l'est de la ligne horaire internationale. Ce choix offrait le maximum d'avantages : bonne lune, coordination parfaite avec l'attaque sur la Malaisie... et les meilleures chances possible de trouver les navires au port et le personnel au repos.

Un certain nombre d'autres personnes durent être mises dans le secret. L'amiral Kusaka posa au commandant Shin Ishi Shimizu, un officier d'approvisionnement d'un certain âge, le problème suivant : Comment embarquer, sans éveiller l'attention, des tenues d'hiver pour les hommes alors que tout le monde était censé se préparer à une campagne sous les tropiques. Le commandant Shimizu trouva la solution qui consistait à réquisitionner à la fois de l'équipement d'hiver et d'été. Avec le plus grand sang-froid, il déclara aux magasiniers un peu surpris que, en cas de guerre, l'on ne savait jamais à l'avance où l'on irait. Après quoi, il empila tout son équipement à bord du cargo *Hoko Maru* qui appareilla vers le 15 novembre, et fit route vers la haie de Tankan, dans l'archipel désolé et glacial des Kouriles — le rendez-vous secret de la force d'attaque de Pearl Harbour.

L'amiral Nagumo lui-même n'était guère loin en arrière. Le navire-amiral, le porte-avions *Akagi*, avait quitté Saeki dans la soirée du 17. Son chef d'état-major, l'amiral Kusaka, débordait d'optimisme. Il avait reçu la veille une lettre de sa vieille femme de ménage qui lui faisait part d'un rêve merveilleux qu'elle venait de faire — une flottille de sous-marins japonais remportait une grande victoire surprise à Pearl Harbour. L'amiral Kusaka y vit un présage des plus favorables.

Le 19 novembre, le commandant Suzuki, de retour de son intéressant voyage à Honolulu, montait, en rade de Yokohama, à bord du cuirassé *Hici* portant une serviette bourrée de notes qu'il avait prises. Et à son tour, le *Hiei* prenait le chemin de Tankan.

Un par un, les navires de guerre prirent le large, naviguant toujours séparément, sans aucune relation apparente entre eux. Dès qu'ils avaient disparu à l'horizon, la mer semblait les avaler littéralement. À la grande base navale de Kure, un trafic radio intense émanait des navires demeurés dans les eaux japonaises, afin de donner l'impression que la flotte n'avait pas bougé. Les opérateurs de radio habituels des porte-avions étaient restés au port, afin de donner aux messages en morse leur « touche » personnelle, celle-ci étant aussi reconnaissable qu'une écriture. La feinte fut si efficace qu'elle trompa jusqu'à l'amiral Kusaka lui-même, qui reprocha à son officier de transmissions de ne pas avoir respecté le silence radio, avant d'apprendre que le « message » n'était destiné qu'à tromper l'ennemi.

Et, en ordre dispersé, la flotte se glissa dans la baie de Tankan. Elle comprenait les majestueux porte-avions *Akagi* et *Kaga*, l'énorme porte-avions flambant neuf *Zuikaku,* les porte-avions légers *Hiryu* et *Soryu,* les vieux cuirassés *Hiei* et *Kirishima*, les croiseurs ultramodernes *Tones* et *Chikuma*, le croiseur léger *Abukuma*, escorté de neuf contre-torpilleurs, trois sous-marins de protection et les huit pétroliers arrachés avec tant de peine aux bureaux de la marine. Le dernier à arriver, dans la soirée du 21 novembre, fut le grand porte-avions *Shokaku.* Il avait simulé des avaries de machine avec tant de réalisme qu'il était presque en retard.

Ils étaient tous là maintenant, 32 navires rassemblés dans cette baie glaciale et désolée, bordée de montagnes neigeuses. Trois antennes de radio, trois petites cabanes de pêcheurs et une jetée nue constituaient les seules traces de civilisation. Cependant, Nagumo ne voulut prendre aucun risque. Personne n'eut le droit d'aller à terre, aucun déchet ne fut jeté par-dessus bord. Le matelot Sigeki Yokota, chargé de la corvée d'ordures du *Kaga*, dut les brûler soigneusement près de la jetée.

Le commandant Shimizu et les autres officiers d'approvisionnement chargèrent progressivement à bord des navires de l'expédition les vivres, les vêtements et des milliers de bidons d'essence, qui remplirent tous les espaces disponibles. Lorsque tout fut embarqué, il donna l'ordre à son équipage de ne pas bouger avant le 10 décembre. « Allez à la pêche, faites ce que vous voudrez, mais ne quittez pas le secteur », ordonna-t-il. Puis il gagna lui-même l'*Akagi*. Il voulait à tout prix participer à l'expédition.

À bord de l'*Akagi*, l'amiral Nagumo présida dans la nuit du 23 novembre une ultime conférence d'état-major. Le commandant Suzuki y exposa les enseignements de son intéressant voyage à Honolulu. Le commandant Fuchida, qui devait mener l'attaque aérienne, griffonna quelques notes. Avant de se séparer, les officiers trinquèrent au saké[1] tiède dans leurs tasses minuscules et poussèrent trois « banzai[2] » en l'honneur de l'empereur.

Le 25, Yamamoto donna l'ordre à la flotte d'appareiller le jour suivant, et naturellement l'amiral Nagumo passa une dernière nuit fiévreuse et sans sommeil. Finalement, il envoya chercher, à 2 heures du matin, le commandant Suzuki, s'excusa de l'avoir réveillé et lui dit qu'il désirait simplement une dernière précision. « Vous êtes bien sûr, lui demanda-t-il, que la flotte américaine ne se trouve pas au mouillage de Lahaina ?

— Oui, amiral.

1. Vin de riz (N.D.T.).
2. Littéralement « mille années de vie » (N.D.T.).

— Et qu'il n'y a aucune chance qu'elle se rassemble à Lahaina ? »

Suzuki le rassura et alla se recoucher, profondément ému par le spectacle du vieil amiral, seul devant ses responsabilités, arpentant sa cabine en kimono.

Suzuki quitta l'*Akagi* à l'aube et, revenu à terre, salua les navires qui levaient l'ancre. Sur la passerelle de l'*Akagi*, l'amiral Kusaka remontait le col de son manteau, pour se protéger du vent glacial qui balayait la baie.

Au dernier moment survint un incident mineur : un filin s'enroula autour de l'hélice de l'*Akagi*. Mais après une demi-heure d'efforts, un plongeur réussit à dégager l'hélice, et à 8 heures du matin, la flotte tout entière avait quitté le port. Au moment où l'*Akagi* s'éloignait à son tour, un patrouilleur lui lança au « blinker », à travers le brouillard, ce message : « Bonne chance dans votre mission. »

Le capitaine de frégate Gishiro Miura, officier de navigation de l'*Akagi*, en avait certes besoin. Il n'avait pas une tâche aisée par un temps pareil — grosse mer, grains incessants, épais brouillard. Connu dans toute la marine impériale pour sa jovialité, il demeurait sombre et tendu sur la passerelle. Exceptionnellement, il avait mis une paire de souliers au lieu des pantoufles qu'il portait d'habitude.

La plupart du temps, les navires réussirent à demeurer en formation : les porte-avions en deux colonnes parallèles de trois, les huit pétroliers suivant derrière, les cuirassés et les croiseurs gardant les flancs, les contre-torpilleurs surveillant tout le convoi et les sous-marins patrouillant très loin en tête. Mais la nuit, les pétroliers, peu habitués à la discipline de convoi, s'égayaient souvent, et chaque matin les contre-torpilleurs devaient partir à leur recherche et les ramener dans le troupeau.

Le deuxième jour du voyage, les amiraux Nagumo et Kusaka se tenaient sur la mouvante passerelle de l'*Akagi*, à la recherche comme d'habitude de leurs pétroliers : soudain Nagumo se confia à son subordonné : « Monsieur le chef d'état-major, lui demanda-t-il, quelle est votre opinion ? J'ai le sentiment d'avoir assumé une bien lourde responsabilité. Si seulement j'avais été plus ferme, et que j'avais refusé ! Maintenant que nous avons quitté les eaux japonaises, je commence à me demander si l'opération va réussir. »

L'amiral Kusaka lui fit la réponse qu'il attendait : « Ne vous inquiétez pas, amiral. Nous réussirons. »

Nagumo sourit : « J'envie votre optimisme, monsieur Kusaka. »

L'amiral Nagumo dut se sentir encore plus découragé lorsque la flotte essaya, le 28 novembre, de se réapprovisionner en combustible. Tandis que les navires tanguaient et roulaient, les énormes tuyaux des pétroliers se détachaient et balayaient les ponts. Plusieurs matelots furent ainsi jetés par-dessus bord, sans qu'il fût possible de les repêcher.

Vers le 30, le rechargement en combustible s'effectuait dans de meilleures conditions, mais un nouveau problème surgit : la tempête ayant encore augmenté d'intensité, des bidons d'essence amarrés sur le porte-avions léger *Hiryu* se renversèrent et transformèrent le pont en une véritable patinoire. Le commandant Takahisa Amagai, officier de pont, attacha de la paille sous ses semelles, mais ne s'en écorcha pas moins les tibias.

Et le voyage se poursuivit, fait de journées épuisantes et de nuits sans sommeil. L'amiral Kusaka s'assoupissait sur une chaise d'osier qu'il avait fait installer sur la passerelle de l'*Akagi*. Le commandant Yoshibumi Tanbo, chef-mécanicien du porte-avions, en faisait autant dans la chambre des machines. De même que les 350 hommes placés sous ses ordres, il la quittait rarement, et on leur apportait leurs repas, consistant le plus souvent en une boule de riz assaisonnée de prunes au vinaigre et de radis, enveloppée dans une écorce de bambou.

Chacun se sentait de plus en plus nerveux. De sa passerelle, l'amiral Kusaka voyait les pilotes vérifier inlassablement leurs appareils, faire tourner leurs moteurs et se maintenir en forme grâce à leur culture physique quotidienne. À bord de l'*Hiryu*, on se demandait pourquoi le lieutenant aviateur Haïta Matsumura portait un masque de gaze lui couvrant le bas du visage. Il expliqua qu'il craignait le climat malsain de la région, et fut dès lors considéré par ses camarades comme le type parfait du malade imaginaire.

Mais la plupart des hommes passaient leur temps à se demander quel était le but de cette expédition. Le pilote de chasse Yoshio Shiga était convaincu qu'on allait attaquer au nord, puisqu'on avait fait la vidange des avions pour remplacer l'huile d'été par une huile d'hiver. Le lieutenant Sukao Ebina, médecin à bord du *Shokaku*, pensait pour sa part qu'on allait attaquer Dutch Harbor, la grande base américaine des Aléoutiennes. Dans la chambre des machines de l'*Akagi*, le capitaine Tanbo avait, lui, une supériorité sur ses camarades. Il savait jusqu'où les provisions de combustibles embarquées permettraient d'aller. Et pour lui, il n'y avait qu'une destination possible : les Philippines.

Très peu de gens connaissaient encore le véritable objectif. À Washington, des diplomates nippons poursuivaient d'ultimes négociations avec le gouvernement américain, tentant d'obtenir pour le Japon les coudées franches en Asie.

Si par extraordinaire ces négociations devaient aboutir, Nagumo recevrait l'ordre de faire demi-tour et de regagner le Japon. Et dans ce cas, personne ne devrait jamais savoir ce qui était presque arrivé. Aussi Nagumo ne pouvait-il alors prendre le risque de rompre le secret.

Mais il était beaucoup plus vraisemblable que l'attaque aurait effectivement lieu. Le principal problème demeurait donc d'éviter que la flotte ne soit aperçue. Aucun déchet ne devait être jeté par-dessus bord ; la nuit, on imposait un black-out absolu de toutes les lumières, et un silence radio total avait été ordonné. À bord du *Hiei*, le commandant Kazuyoshi Kochi, officier de transmissions, avait démonté l'une des pièces essentielles de son transmetteur radio, et l'avait enfermée dans une caissette de bois qu'il utilisait comme oreiller lorsqu'il trouvait le temps de se coucher.

Il y eut plusieurs alertes : une fois, Tokyo signala par radio la présence à proximité de l'armada d'un sous-marin inconnu. La flotte changea immédiatement de cap, mais il s'agissait d'une erreur. Une autre nuit, l'amiral Kusaka aperçut soudain une lumière dans le ciel et crut qu'il s'agissait d'un avion inconnu. Ce n'était qu'une étincelle de la cheminée du *Kaga,* dont le commandant se vit sévèrement réprimandé.

Un matin, le bruit courut qu'un navire soviétique, faisant route de San Francisco vers un port sibérien, se trouvait dans les parages. L'alerte fut donnée à bord de tous les navires, mais rien ne se passa. Il n'y avait d'ailleurs aucun moyen de vérifier ce genre de rumeurs, car l'amiral Nagumo interdisait toutes reconnaissances aériennes qui auraient pu trahir la présence de la flotte.

D'interminables discussions s'engageaient pour savoir ce que l'on ferait en cas de découverte par un navire neutre. Il se trouva au moins un des membres de l'état-major de Nagumo pour conseiller tranquillement, si cette éventualité venait à se produire, « de le couler et de ne plus y penser ».

Mais le 2 décembre, ce genre de spéculation prit fin définitivement. La veille, le conseil impérial avait décidé la guerre, et l'amiral Yamamoto passa le message : « Escaladez le mont Niitaka. » Ce qui signifiait en clair : « Effectuez l'attaque prévue. »

Un second message reçu le même jour vint confirmer la date de l'opération. Le « jour X » serait le 8 décembre, c'est-à-dire, à Hawaii, le dimanche 7 décembre.

Et on rassembla enfin les hommes pour les mettre au courant. Dans la chaleur et le bruit de la chambre des machines de l'*Akagi*, le commandant Tanbo et ses hommes trinquèrent sans mot dire. Personne ne but plus d'une seule tasse de saké. Mais la plupart des marins hurlèrent « banzai », et partagèrent l'émerveillement du matelot Iki Kuramoti qui s'exclama : « Une attaque aérienne sur Hawaii... c'est un rêve qui se réalise ! »

Le lendemain matin, chacun semblait avoir repris goût à la vie. On fit connaître aux pilotes leurs objectifs particuliers : les terrains d'aviation de l'armée américaine à Hickam et Wheeler... les casernes de Shofield... les bases aéronavales de Kaneohe et de l'île Ford, la base de l'infanterie de marine de Ewa... la flotte américaine. À bord de l'*Akagi*, l'amiral Kusaka dévoila une magnifique carte en relief de Pearl Harbour en plâtre de Paris. Jusqu'alors, il l'avait gardée sous clef dans sa cabine, et seuls y avaient eu accès quelques officiers triés sur le volet. Il la fit maintenant installer sur le pont des hangars, où chacun pouvait l'examiner. À bord du *Kaga*, les pilotes s'entraînaient à identifier les navires américains. Un officier cachait derrière son dos les silhouettes découpées des bateaux de guerre, et les montraient durant une fraction de seconde qui devait suffire aux pilotes pour les reconnaître.

Rien n'était trop bon pour les aviateurs à présent. Bains quotidiens, rations spéciales de lait frais et d'œufs...

Mais sur son navire-amiral, Nagumo craignait plus que jamais d'être découvert. Il se trouvait en effet dans une situation extrêmement délicate. S'il était aperçu par l'ennemi avant le 6 décembre, il devait faire demi-tour et regagner le Japon. S'il était vu dans la journée du 6, il devait prendre lui-même la décision d'effectuer quand même l'opération ou d'y renoncer. Ce n'était qu'à partir du 7 qu'il avait l'ordre d'attaquer quoi qu'il arrive.

Dans la cabine radio du *Hiei*, le commandant Kochi restait branché sur les émissions de Honolulu pour savoir si les Américains se doutaient de quelque chose. Mais les écoutes semblaient très rassurantes.

Bientôt un flot de messages de la plus haute importance arrivèrent du Japon. Yamamoto retransmettait les derniers renseignements parvenus de Honolulu sur la flotte américaine. Le 3 décembre, il passa le message suivant :

« Situation au 28 novembre, 08.00 (heure locale), à Pearl Harbour : deux cuirassés *Oklahoma* et *Nevada*, un porte-avions, *Enterprise*, deux croiseurs classe A. Douze contre-torpilleurs sortent. Cinq cuirassés, trois croiseurs classe A, douze contre-torpilleurs, un navire ravitailleur d'hydravions entrent. »

Le 3 décembre, suivant le calendrier américain, la flotte nippone se trouvait à environ 900 milles au nord de Midway, à 1 300 kilomètres au nord-ouest de Oahu. L'amiral commença à virer vers le sud. À bord du *Hiei*, le commandant Kochi capta un nouveau message retransmis par Tokyo de Honolulu : « Situation au 29 novembre, après-midi (heure locale) : navires à l'ancre à Pearl Harbour : zone A (entre l'arsenal et l'île Ford) KT (dock nord-ouest arsenal) cuirassés *Pennsylvania, Arizona.* FV (bouée d'amarrage) cuirassés *California*, *Tennessee*, *Maryland*, *West Virginia*, KS (docks de réparation) croiseur classe A *Portland.* »

Le 4, plein de combustible, et nouveau message de Honolulu : « Ne pouvons indiquer si l'alerte aérienne a été donnée. Aucune indication d'alerte navale. »

Le 5, une partie de la flotte fit du mazout pendant la plus grande partie de la journée et de la nuit. L'amiral Kusaka donna alors l'ordre à trois des pétroliers de s'éloigner et d'attendre son retour. Ce fut là un de ces moments d'émotion que les Japonais aiment tant, et les matelots agitèrent longuement leurs bérets tandis que les pétroliers disparaissaient à l'horizon. Dans sa cabine, le commandant Shimizu, l'officier d'approvisionnement qui avait tenu à tout prix à participer à l'expédition, écoutait rêveusement un programme de radio japonaise, « L'heure enfantine », de Mme Hanako Muraoka. Mais on entendait si mal qu'il finit par se décourager et se brancha sur un programme de musique américaine qu'on entendait parfaitement.

À l'aube du 6, Kusaka fit faire à nouveau le plein de combustible, car il désirait avoir les soutes aussi bien garnies que possible le jour de l'attaque. À la fin de la matinée, la tâche était achevée et les cinq derniers pétroliers se retirèrent à leur tour, salués par les équipages.

Entre-temps, Yamamoto avait envoyé un dernier message d'encouragement : « Le moment est venu. Le sort de l'Empire est en jeu. »

Tous les hommes disponibles furent rassemblés sur les ponts, et sur chaque navire on lut à haute voix le message de l'amiral. Les officiers firent des discours, et les acclamations retentirent. Puis, au mât de l'*Akagi* monta le célèbre pavillon « Z » qu'avait arboré l'amiral Togo le jour de sa grande victoire sur les Russes en 1905. Dans la chambre des machines de l'*Akagi*, le commandant Tanbo ne put assister au spectacle, mais, tandis qu'il en recueillait les échos dans le tube acoustique, son cœur battait à se rompre dans sa poitrine, et les larmes coulaient le long de ses joues. Aujourd'hui encore, il se rappelle cet instant comme le plus exaltant de toute la guerre.

La flotte se trouvait à présent à quelque 640 milles marins au nord de Oahu. Débarrassée des pétroliers, elle pouvait maintenant piquer au sud à la pleine vitesse de ses machines. Peu avant midi, l'amiral Kusaka changea de cap et ordonna : « 24 nœuds, en avant toutes. »

À 3 heures de l'après-midi, la flotte ne se trouvait plus qu'à 500 milles de son objectif. Et dans la cabine de radio du *Hiei*, le commandant Kochi reçut un nouveau message de Honolulu. À 18 h. 00, le 5 décembre, Pearl Harbour abritait : « huit cuirassés, trois croiseurs classe B. Seize contre-torpilleurs, quatre croiseurs classe B (type « Honolulu ») et cinq contre-torpilleurs entraient dans le port. »

À 16 h. 55, le sous-marin japonais I-72, qui se trouvait déjà en vue de Oahu, envoya des renseignements de dernière heure : « La flotte américaine, annonça-t-il, n'est pas au mouillage de Lahaina. »

Les navires américains devaient, par conséquent, soit se trouver encore à Pearl Harbour, soit avoir juste pris la mer. Le capitaine de corvette Ono, officier de renseignements de l'amiral, rappela que cinq des cuirassés étaient déjà restés cinq jours au port. Il craignait en conséquence qu'ils n'aient finalement appareillé. Mais le chef d'état-major Kusaka, fervent adepte des statistiques, jugea peu probable que, contrairement aux habitudes américaines, ils sortent durant un week-end.

Le commandant Genda, l'habile spécialiste des torpilles, déplora l'absence des porte-avions ennemis, mais Ono le consola en lui disant qu'un ou deux d'entre eux pouvaient rentrer au port à la dernière minute. Tout heureux à cette idée, Genda s'exclama : « Si cela devait arriver, l'absence des huit cuirassés me serait complètement égale. »

Plus tard dans la même soirée arriva un autre message rassurant de Honolulu : « Pas de barrages de ballons en vue. Aucun panache de fumée aux cheminées des cuirassés. Aucune indication d'alerte aérienne ou navale envoyée aux îles voisines. »

Ainsi les mesures prises par les Japonais pour masquer les préparatifs de l'opération avaient parfaitement réussi. Les autorités nippones avaient été jusqu'à promener dans les rues de Tokyo des centaines de matelots amenés spécialement pour l'occasion du dépôt naval de Yokosuka.

À 01 h. 20 du matin, le 7 décembre, Tokyo retransmit un dernier message de Honolulu :

« 6 décembre (heure locale), navires à l'ancre à Pearl Harbour : neuf cuirassés, trois croiseurs classe H, trois navires-bases d'hydravions, dix-sept contre-torpilleurs. Quatre croiseurs classe B et trois contre-torpilleurs entrent dans le port. Tous les porte-avions et croiseurs lourds ont quitté Pearl Harbour. Aucune indication de changements du dispositif de la flotte américaine ou de quoi que ce soit d'anormal. »

L'absence des porte-avions provoqua de nouvelles lamentations à bord des navires japonais. Certains officiers se demandèrent même s'il ne convenait pas dans ces conditions de renoncer à l'opération projetée. Mais l'amiral Nagumo estimait qu'il n'était plus question à présent de faire machine arrière. On avait l'assurance de trouver huit cuirassés dans le port, et il était temps de cesser de se préoccuper de porte-avions absents.

Par une ultime et fiévreuse nuit de « paix », les navires, tous feux éteints, faisaient route droit sur Oahu, dont les séparaient maintenant moins de 400 milles. Sur le *Kaga*, le pilote de chasse Shiga prit un bain, et prépara des vêtements propres qu'il revêtirait au matin, avant d'aller se coucher. Le pilote Ippei Goto, qui venait d'être nommé aspirant, disposa sur une chaise son nouvel uniforme qu'il n'avait jamais mis. À bord du *Hiryu*, le pilote de bombardement Hashimoto mit ses affaires en ordre, et chercha en vain le sommeil. Finalement il alla trouver le médecin du bord et lui soutira un somnifère.

Il dut se révéler efficace, car, lorsque le commandant Amagai, officier de vol du *Hiryu*, descendit voir comment ses pilotes passaient cette dernière nuit, il les trouva tous profondément endormis.

Il se rendit ensuite aux hangars et inspecta soigneusement les émetteurs de radio de chaque avion. Pour être bien sûr que personne n'y toucherait accidentellement et donnerait ainsi l'alarme, il glissa de petits bouts de papier entre chaque clef de transmission morse et chaque point de contact.

À bord de l'*Akagi*, penché sur son récepteur radio, le commandant Ono poursuivait sa veille, écoutant les programmes de Honolulu. 02 h. 00, 02 h. 30, 03 h. 00, K.G.M.B. passait toujours des disques de musique hawaiienne.

À quelque 300 milles au sud, le capitaine de frégate Mochitsura Hashimoto, officier torpilleur du sous-marin I-24, écoutait le même programme. L'I-24 était l'un des 28 grands sous-marins de croisière japonais qui patrouillaient au large de Oahu. Ils avaient pour mission d'attaquer tout navire de guerre américain qui réussirait à prendre la mer.

À ses côtés se trouvait l'enseigne de vaisseau Kazuo Sakamaki, qui avait fêté ses vingt-trois ans le jour où il avait quitté le Japon. Sakamaki vivait un rêve éveillé de gloire navale, mais, pour l'instant, il n'était encore que passager. Il devait « commander » un sous-marin de poche dont l'équipage total ne se composait, lui compris, que de deux hommes, et que l'I-24 emmenait rivé à son pont, comme un bébé papou attaché au dos de sa mère.

Le caractère révolutionnaire de ce projet n'avait guère plu à l'amiral Yamamoto, homme à l'esprit essentiellement pratique. Mais on y retrouvait aussi cette vieille idée du suicide guerrier, si cher aux cœurs japonais, et finalement le commandant Naoji Iwasa avait réussi à convaincre le haut commandement d'intégrer les sous-marins de poche baptisés pour l'occasion « unité spéciale d'attaque navale » dans le plan général. Et comme Iwasa en avait eu l'idée, on lui en avait confié le commandement.

Au début, Yamamoto avait imposé une limitation importante : les sous-marins de poche ne pourraient entrer dans Pearl Harbour même, où leur présence risquerait de donner l'éveil, avant le début de l'opération. Mais le commandant Iwasa affirma qu'ils pourraient se glisser dans la baie sans être vus, et Yamamoto finit par se rendre à ses raisons.

Cinq sous-marins de croisière, dont on retira les catapultes pour lancement d'avions furent alors spécialement équipés pour emmener les nouveaux submersibles nains, dont la construction fut conservée secrète. Ils étaient maintenus en place par quatre gros crampons et un crampon auxiliaire. Chacun d'eux mesurait environ 13 mètres, emportait deux torpilles, était mû par des accumulateurs et manœuvré par un équipage de deux hommes.

Ces équipages, recrutés avec le plus grand soin et entraînés durant plus d'un an, furent rassemblés au P.C. de la base navale de Kure, le 16 novembre. Là, on leur apprit que l'attaque avait été décidée, et qu'ils embarqueraient le 18 pour Hawaii.

Le lendemain soir, l'enseigne Sakamaki se promena pour la dernière fois dans les rues de Kure, en compagnie de son camarade de promotion Akira Hirowo, chargé comme lui de piloter un sous-marin de poche. Dans un magasin, ils achetèrent chacun une petite bouteille de parfum. Ils avaient l'intention, dans la pure tradition des samouraïs, de s'asperger avant d'aller au combat. Après quoi, ils pourraient mourir glorieusement ou, comme l'expliqua Sakamaki en termes poétiques, « tomber ainsi que des fleurs de cerisiers ».

Les sous-marins de croisière appareillèrent le lendemain matin et traversèrent le Pacifique d'ouest en est, ne faisant surface qu'à la nuit. Sakamaki et son homme d'équipage, le matelot Kyoji Inagaki, en profitaient pour monter sur le pont et s'assurer que tout fonctionnait bien sur le sous-marin de poche. Dans son enthousiasme, Sakamaki tomba par-dessus bord à deux reprises. Heureusement pour lui, il avait pris soin de s'attacher au grand sous-marin et on réussit toujours à le repêcher, ruisselant, mais plein d'énergie, et prêt à se remettre au travail.

Le 6 décembre, ils arrivèrent en vue de Oahu. Dès la nuit tombée, ils firent surface et se rapprochèrent de la côte. Ils s'immobilisèrent finalement dans le clair de lune, à une dizaine de milles de Pearl Harbour. Du kiosque, le commandant Hashimoto étudia avec intérêt les feux verts et rouges du port, le halo lointain de la cité de Honolulu, les deux tours jumelles, ruisselantes des lumières du célèbre

« Royal Hawaiien Hôtel », et à l'extrême droite l'« Elk Club » illuminé au pied de la colline de Diamond Head.

Ils étaient donc enfin à pied d'œuvre. Sakamaki et Inagaki effectuèrent les ultimes vérifications. Soudain, ils s'aperçurent que le compas gyroscopique ne fonctionnait pas. Sans cet instrument, ils ne pourraient naviguer sous l'eau. Sakamaki convoqua le mécanicien spécialiste du bord, donna l'ordre à Inagaki d'aider celui-ci à réparer et alla prendre quelques heures de repos.

Vers minuit et demi, il quitta sa couchette et monta prendre l'air sur le pont. La côte était moins éclairée à présent et voilée par une brume légère. Les étoiles avaient disparu et la lune brillait sur une mer houleuse. Il redescendit voir où en était le compas. Mais il constata avec angoisse que Inagaki et le mécanicien ne parvenaient pas à le réparer. Il se demanda s'il ne fallait y voir que la malchance, ou si, à un moment quelconque, il s'était montré inférieur à sa tâche. De toute façon, il était décidé à tenter le coup.

Il emballa soigneusement ses affaires personnelles, il écrivit un mot d'adieu à sa famille, sans oublier de placer dans l'enveloppe une mèche de ses cheveux et des rognures de ses ongles. Il se lava, et passa sa tenue de combat, un slip et un blouson de cuir. Il s'aspergea du parfum qu'il avait acheté à Kure, et enroula autour de sa tête un « hashamaki » blanc, la coiffure traditionnelle des guerriers japonais. Après quoi, il fit le tour du sous-marin, embrassant les membres de l'équipage. Il était alors plus de 03 h. 30 du matin, l'heure de départ prévue pour les sous-marins de poche devant attaquer Pearl Harbour.

III

03 heures 30 — 05 heures 30

À 03 h. 42 du matin, le petit dragueur de mines *Condor* faisait sa ronde juste à l'extérieur de la rade de Pearl Harbour lorsque l'enseigne de vaisseau R.C. Mac Cloy, officier de quart, aperçut à bâbord une étrange vague blanche. Elle se trouvait à moins de cent mètres de distance, et se rapprochait du *Condor* en direction de l'entrée du port. Il la montra au quartier-maître B.C. Uttrick, et tous deux l'examinèrent tour à tour à l'aide des jumelles de Mac Cloy. Ils jugèrent qu'il devait s'agir du périscope d'un sous-marin immergé.

Bientôt la vague ne fut plus qu'à une cinquantaine de mètres du *Condor*, et à environ 1 000 mètres des bouées signalant l'entrée du port. Puis apparemment le sous-marin aperçut le *Condor*, car il changea brusquement de cap. À 03 h. 58, le *Condor* transmit par morse optique le message suivant au contre-torpilleur *Ward* qui patrouillait à proximité : « Aperçu sous-marin immergé faisant route vers l'ouest à une vitesse de 9 nœuds. »

C'est le lieutenant de vaisseau Oscar Goepner, un jeune officier de réserve frais émoulu de l'Université du nord-ouest des États-Unis qui reçut ce message. Il réveilla le commandant, le lieutenant de vaisseau William Outerbridge, dont ce devait être non seulement la première alerte aux sous-marins, mais encore la première patrouille de son premier commandement.

Il ordonna immédiatement le branle-bas de combat, et, durant la demi-heure qui suivit, le *Ward* rechercha désespérément le contact avec le sous-marin, à vue et par ses appareils de détection au son. Ce fut en vain, et à 04 h. 43, le branle-bas de combat prit fin et la plupart des hommes allèrent se coucher. Le personnel de quart normal continua cependant à fouiller l'horizon.

Quatre minutes plus tard, les grilles du filet antitorpille à l'entrée du port commencèrent à s'ouvrir. Cette opération prenait toujours de 8 à 10 minutes, et ce n'est qu'à 04 h. 58 qu'un homme d'équipage nota sur le livre de bord du *Ward* : « Portes ouvertes ; lumières blanches. »

À 05 h. 08, le dragueur *Crossbill*, qui avait patrouillé avec le *Condor*, pénétra dans le port. Normalement le filet aurait dû être refermé immédiatement, mais comme le *Condor* devait rentrer peu après, il parut inutile de se donner cette peine. Effectivement, à 05 h. 32, le *Condor* rentrait à son tour, mais on ne ferma toujours pas la grille, car le remorqueur *Keosanqua* était attendu vers 06 h. 15, et il sembla à nouveau inutile de refermer pour rouvrir si peu de temps après.

Avant que tout le monde ne s'endorme à bord du *Condor*, le *Ward* lui demanda par radio quelques indications supplémentaires : « Quelles étaient la distance approximative et la direction du sous-marin que vous avez aperçu ? »

« Le cap, répondit le *Condor*, était à peu près celui que nous suivions, soit 020 degrés magnétiques, et la distance environ 1 000 mètres de l'entrée du port. »

C'était très à l'est du secteur indiqué initialement, et Outerbridge eut l'impression qu'il avait dû rechercher dans la mauvaise direction. En fait, le *Condor* parlait de deux choses distinctes. Son premier message indiquait le cap suivi par le sous-marin lorsqu'il avait été aperçu pour la dernière fois, et le second son cap lorsqu'il avait été vu pour la première fois. Mais il oublia de signaler qu'entre-temps le sous-marin avait complètement changé de direction.

Et en conséquence, le *Ward* mit le cap à l'est, et passa au crible un secteur où le sous-marin n'avait jamais pu se trouver. Il n'oublia cependant pas de remercier le *Condor*. À 05 h. 34, il lui passa le message suivant : « Merci pour votre aide. Nous continuons nos recherches. »

Le centre radio de Bishops Point, non loin de là, entendit cette série de messages, mais ne songea pas à en faire part à qui que ce soit. Après tout, une conversation entre deux bâtiments ne le regardait en rien. De son côté, le *Ward* ne fit aucun rapport — après tout c'était le *Condor* qui croyait avoir vu quelque chose, et il gardait le silence. Il avait dû décider en fin de compte qu'il ne s'agissait nullement d'un sous-marin.

Ce n'était en tout cas pas celui que pilotait l'enseigne de vaisseau Sakamaki. Il n'avait pu partir qu'à 05 h. 30, deux bonnes heures après le moment prévu. Entre-temps, on avait déployé de vains efforts pour arranger le compas hors d'usage, et effectué, pour la seconde fois, la cérémonie des adieux.

Lorsque le capitaine de corvette Hiroshi Hanabusa, commandant du sous-marin *Mère* I-24, lui demanda si la panne de compas avait modifié ses plans, Sakamaki lui répondit fièrement : « Commandant, j'accomplirai ma mission comme prévu. » Après quoi ils avaient crié tous deux, dans un grand élan patriotique : « En avant, sur Pearl Harbour ! »

L'aube se levait au moment où Sakamaki et

Inagaki quittèrent le pont du I-24 pour s'installer à bord de leur sous-marin de poche. Chacun d'eux tenait dans sa main gauche une bouteille de vin de riz et des victuailles, et tendait leur main droite à leurs camarades. À quelque distance de là, un collègue de Sakamaki, l'enseigne de vaisseau Hirowo, s'exclama, au moment où il quittait le sous-marin I-20 pour s'installer, lui aussi, dans son sous-marin de poche : « Nous devons avoir l'air de collégiens partant en vacances. »

Lentement, l'I-24 plongea, et l'équipage attendit sans mot dire l'ordre de dévisser les quatre crampons retenant le sous-marin de poche. À l'intérieur de celui-ci, Sakamaki et Inagaki attendaient eux aussi, leur moteur électrique ronflait, et ils sentaient le sous-marin *Mère* prendre de la vitesse pour les lancer plus facilement.

Et tout à coup, il y eut le formidable choc du mécanisme de lancement, et, immédiatement après, tout commença à aller de travers. Au lieu de naviguer horizontalement, le sous-marin de poche piqua du nez, et faillit aller au fond. Sakamaki coupa les moteurs et s'efforça de redresser l'embarcation.

IV

05 heures 30 — 07 heures 00

Le lieutenant Harauo Takeda, observateur aérien à bord du croiseur *Tone*, cachait mal son désappointement au moment où la flotte japonaise, maintenant à moins de 250 milles de Oahu, piquait toujours vers le sud.

En effet, à la dernière minute, un contrordre l'avait empêché de piloter lui-même l'hydravion du *Tone* qui devait, en compagnie de celui du *Chikuma*, effectuer à 05 h. 30 du matin une ultime reconnaissance sur la flotte américaine. De plus, il se sentait inquiet, car, responsable du catapultage, il craignait une collision entre les deux hydravions. Certes, les deux navires étaient à huit milles l'un de l'autre, mais il faisait encore nuit. Et puis, lorsque tant de choses sont en jeu, on rechercherait presque des motifs d'inquiétude.

En fait, tout se passa fort bien. Les deux hydravions, précurseurs de la grande flotte aérienne qui allait suivre, furent catapultés sans incidents et s'éloignèrent dans l'obscurité. L'amiral Nagumo comptait lancer sur Pearl Harbour 353 avions en deux vagues successives. La première, composée de 40 avions torpilleurs, 51 bombardiers en piqué, 49 bombardiers normaux et 43 chasseurs d'escorte, devait partir à 06 h. 00 du matin, et la seconde, composée de 80 bombardiers en piqué, 54 bombardiers à haute altitude et 36 chasseurs, devait suivre à 07 h. 15.

39 avions devaient rester pour protéger la flotte japonaise contre un raid de représailles éventuel des Américains.

À bord des porte-avions on achevait les derniers préparatifs. Debout une heure avant les pilotes, les mécaniciens vérifiaient les avions dans les hangars, puis les faisaient monter, par les ascenseurs, sur les ponts de décollage. Les moteurs pétaradaient, puis ronflaient durant les essais au point mort. Sur le *Hiryu*, le commandant Amagai retirait soigneusement les bouts de papier qu'il avait placés dans les transmetteurs de radio pour éviter qu'ils n'envoient un signal par accident.

En bas, les pilotes enfilaient du linge propre et des uniformes bien repassés. Beaucoup d'entre eux revêtaient la coiffure traditionnelle, le fameux « hashamaki ». De petits groupes se rassemblaient autour des autels portatifs du rite shinto que transportaient tous les navires de guerre nippons. Là, ils buvaient quelques tasses de saké, et priaient pour le succès de leur mission.

Ils eurent droit à un petit déjeuner particulièrement choisi. Au lieu de leur ordinaire de maquereau salé et de riz mélangé d'orge, on leur servit du « sehikan », ce plat de riz bouilli avec de petits haricots rouges réservé pour les grandes occasions. Après quoi ils touchèrent leurs rations de vol, composées de boules de riz et de prunes au vinaigre, de chocolat concentré et de pilules spéciales destinées à les maintenir éveillés.

Puis ils se rassemblèrent dans la salle des opérations pour le « briefing » final. À bord de l'*Akagi*, le commandant Mitsuo Fuchida, commandant l'attaque aérienne, alla se présenter à l'amiral Nagumo. Il lui déclara : « Je suis prêt à accomplir la mission que vous m'avez confiée. »

« J'ai une entière confiance en vous », lui répondit l'amiral en lui serrant la main.

La scène fut la même à bord de chacun des porte-avions : la salle des opérations faiblement éclairée, dans laquelle s'entassaient les pilotes, quelques-uns d'entre eux n'ayant pu y trouver de place demeurant dans la coursive ; le tableau noir indiquant les positions des navires américains telle qu'elle était connue à 10 h. 30 du matin, le 6 décembre. Un dernier coup d'œil au dispositif ennemi et aux cartes. Puis les ultimes précisions sur la direction et la vitesse du vent, et des calculs de distance et de temps de vol jusqu'à Hawaii et retour.

Ensuite un ordre impératif : Personne, à l'exception du seul commandant Fuchida, ne devait toucher à son émetteur radio avant le début de l'attaque. Et enfin quelques paroles d'encouragement par les officiers de vol, les commandants des porte-avions et, à bord de l'*Akagi*, par l'amiral Nagumo lui-même.

Dans une aube claire, les hommes montèrent sur le pont, certains portant attachées autour du cou les indications de vol qu'on venait de leur donner. Un à un, ils s'installèrent aux postes de pilotage, saluant de la main leurs camarades restant sur les navires... le jeune Ippei Goto, dans son uniforme flambant neuf d'enseigne de vaisseau, du *Kaga*, le tranquille Fusada Iida, du *Soryu*, passionné de base-ball, le lieutenant Haïta Matsumura, qui arracha brusquement le masque de gaze qui avait suscité tant de plaisanteries, dévoilant ainsi une superbe moustache qu'il avait fait pousser secrètement.

Le commandant Fuchida prit place dans l'avion de tête, marqué d'une bande rouge et jaune sur la queue. Avant qu'il ne lance l'hélice, le mécanicien-chef lui tendit une coiffure « hashamaki » spéciale. « C'est un cadeau des rampants, lui dit-il. Puis-je vous demander de la porter au-dessus de Pearl Harbour ? »

Tanbo, l'officier mécanicien de l'*Akagi*, qui en avait sollicité la permission se précipita sur le pont pour assister au grand moment. Ce fut d'ailleurs l'unique occasion, durant tout le voyage, où il abandonna la salle des machines. Sur les ponts de décollage, les hommes se rassemblèrent, hurlant des encouragements aux pilotes et agitant les bras.

Tous les regards étaient tournés vers l'*Akagi*, qui devait donner le signal du départ. Une série de pavillons avaient été hissés à mi-mât, signifiant que les pilotes devaient se tenir prêts. Lorsqu'ils monteraient au sommet, puis redescendraient lentement, les avions décolleraient.

Lentement, les six porte-avions tournèrent et vinrent se placer au vent. Mais la mer était forte, et de grosses vagues s'écrasèrent contre la proue des bâtiments. L'état de la mer n'offrait pas toutes garanties pour un décollage normal, pensa l'amiral Kusaka, mais l'on n'avait plus le choix. La force d'attaque de Pearl Harbour se trouvait à 230 milles nord-est de Oahu. Il était 06 h. 00 du matin.

Les pavillons montèrent au mât, puis redescendirent. Un à un, les chasseurs s'arrachèrent des ponts, couvrant du fracas de leurs moteurs les acclamations qui jaillissaient de toutes parts. Oubliant ses inquiétudes d'officier de navigation du *Shokaku,* le capitaine Hoichiro Tsukamoto décida qu'il était en train de vivre le plus grand moment de son existence. L'officier mécanicien Tanbo hurla comme un gosse, et redescendit quatre à quatre vers la chambre des machines pour raconter à tout le monde comment les choses s'étaient passées.

Ce fut alors au tour des avions-torpilleurs et des bombardiers en piqué de prendre l'air sous l'écran protecteur des chasseurs, et bientôt les 183 avions tournoyaient au-dessus de la flotte dans le soleil levant et gagnaient les places qui leur avaient été assignées dans les formations de combat. Le matelot Iki Kuramoti, au bord des larmes, joignit les mains et pria.

Après la terrible tension du décollage par cette grosse mer, l'amiral Kusaka se sentit tout à coup épuisé. En dépit de la maîtrise de soi dont il se piquait, grâce aux exercices bouddhiques du « bushido » et du « kendo » (une sorte d'escrime), il tremblait comme une feuille, et dut s'asseoir, à même le pont, ou sur un fauteuil, il n'en est plus très sûr. Plongé dans une profonde méditation, il reprit lentement ses esprits tandis que les avions s'éloignaient vers le sud.

À proximité de l'objectif principal de cette attaque imminente, la seule trace de vie était donnée par une voiture, dans laquelle une femme d'un certain âge conduisait son mari au travail. Mme William Blackmore se dirigea vers l'entrée principale du port de Pearl Harbour, où une sentinelle des « Marines » vérifia le permis fixé au pare-brise, et gagna la jetée des petites embarcations. M. Blackmore, qui avait pris sa retraite après seize ans dans la marine des États-Unis, était à présent le mécanicien-chef du remorqueur *Keosanqua*. Celui-ci devait partir à 06 h. 00 du matin à la rencontre du navire de ravitaillement *Antares*.

Au moment où elle prenait congé de son mari, les premiers rayons du soleil levant éclairaient les navires de guerre d'une lumière presque fantomatique. « C'est vraiment l'endroit le plus tranquille que j'aie jamais vu », remarqua-t-elle.

« Si tu savais ce qui se passe dans le coin, tu serais bien épatée », lui répondit gaiement Blackmore, sautant dans le remorqueur.

Le filet antitorpille à la sortie du port fut ouvert pour permettre au *Keosanqua* de passer, et on le maintint ouvert en attendant qu'il revienne. Il était 06 h. 30 du matin et l'*Antares* se trouvait déjà en vue. Un gros hydravion PBI d'observation de la marine tournoyait au-dessus du port, ayant apparemment aperçu quelque chose d'intéressant.

À bord du *Ward* le timonier H.E. Raenbig regardait lui aussi. Au moment où l'*Antares*, arrivant du sud-ouest, passait vers bâbord à l'avant du *Ward*, il vit tout à coup un curieux objet noir qui semblait fixé à l'amarre reliant l'*Antares* à une péniche qu'il remorquait. Les navires se trouvaient distants d'environ un mille, et il demanda au quartier-maître H.F. Gearin de regarder à la jumelle.

Gearin observa immédiatement que l'objet en question n'était pas attaché à l'aussière, mais se trouvait simplement dans son prolongement. En fait, l'objet était situé sur le côté extérieur de l'*Antares* par rapport au *Ward*. Il le montra au lieutenant Goepner, qui lui dit qu'il s'agissait sans doute d'une bouée, mais l'invita à garder un œil dessus.

Une minute plus tard, Gearin déclara que l'objet semblait être un petit kiosque de sous-marin se rapprochant de l'*Antares* comme s'il voulait se placer derrière la péniche. À ce moment-là, l'hydravion de la marine commença à tracer des cercles au-dessus de leurs têtes, et Goepner fut enfin convaincu. « Commandant, venez sur la passerelle ! » cria-t-il. Outerbridge sauta à bas de sa couchette dans la chambre des cartes, enfila un kimono japonais et arriva. Après un seul regard sur le sous-marin, il ordonna le branle-bas de combat à 06 h. 40 exactement.

Le canonnier prit le temps, avant de grimper sur le pont, de fermer l'écoutille menant au réduit où se trouvait la machine actionnant l'ancre. Comme il courait vers son poste de combat sur le pont avant, Outerbridge lui fit signe en toute hâte de ne pas s'approcher de la tourelle numéro 1 qui tournait en direction du sous-marin.

Sur le pont arrière, l'enseigne D.B. Haynie passa en courant devant les tourelles 3 et 4 en donnant l'ordre de sortir les munitions des soutes.

Outerbridge avait ordonné : « En avant toutes », et le vieux *Ward* donnait toute sa vitesse, passant en cinq minutes à 5, puis à 10/25 nœuds.

Péniblement, la vieille carcasse datant de 1918 obliqua vers bâbord se dirigeant droit vers l'espace séparant la péniche du kiosque du sous-marin, à 400 mètres à tribord du *Ward*.

À ce moment-là, à bord de l'*Antares*, on comprit enfin ce qui se passait, et le « blinker » signala que le navire avait l'impression d'être suivi. D'en haut le PBY lança deux grenades fumigènes pour marquer la position du sous-marin.

L'enseigne William Tanner, pilote de l'hydravion, accomplissait ainsi sa « bonne action » de la journée. Sa première réaction en apercevant le sous-marin nettement en dehors du secteur normal des sous-marins amis, avait été de se dire : « Bon Dieu, un sous-marin en détresse. »

Il vit alors le *Ward* qui faisait route à toute vapeur dans cette direction. C'est alors qu'il descendit rapidement et lança ses deux grenades fumigènes, qui aideraient le *Ward* à secourir le sous-marin.

Mais le *Ward* n'en avait aucun besoin. Le sous-marin se trouvait à tribord, et se dirigeait droit vers lui. Il naviguait à fleur d'eau, le kiosque affleurant à environ 30 centimètres de la surface.

Entre les lames, les matelots américains aperçurent

une petite coque allongée en forme de cigare, dont la vue les fascina. La plupart d'entre eux trouvèrent qu'elle semblait plutôt rouillée. Tous furent d'accord pour constater qu'aucun insigne n'était visible sur le kiosque ovale.

Le plus curieux, c'est que le sous-marin, lui, ne sembla pas voir du tout le *Ward* et continua à avancer, suivant l'*Antares,* à une vitesse de huit ou neuf nœuds.

« Ouvrez le feu ! » commanda Outerbridge. Ils ne se trouvaient plus qu'à une centaine de mètres du sous-marin, beaucoup trop près pour se servir des appareils de visée, et le second maître Mate Art, chef de pièce du canon numéro 1, le pointa comme un fusil de chasse, et tira. C'est exactement à 06 h. 45 que le premier obus, passant au-dessus du kiosque alla s'enfoncer dans la mer.

Le chef de pièce Russel Knapp du canon numéro 3 au-dessus de la cuisine du navire, donna l'ordre de tir quelque 30 secondes plus tard, alors que l'objectif ne se trouvait plus qu'à cinquante mètres, et eut plus de chance. L'obus frappa la base du kiosque, qui vacilla sous le choc, mais poursuivit sa route. Il se trouvait maintenant presque contre le flanc du *Ward* — le canonnier Luis Gerner eut le temps de distinguer le verre de son périscope, et il était déjà par l'arrière, décrivant des arcs de cercle dans le sillage du navire américain.

Quatre brefs coups de sifflet signalèrent au chef torpilleur Maskawilz qui devait relâcher ses quatre grenades anti-sous-marines. Le sous-marin disparut immédiatement dans une montagne d'écume. Maskawilz, qui avait réglé ses charges pour une portée de trente mètres, constata avec satisfaction que le sous-marin avait semblé « rentrer tout droit dans la première ».

Dans son hydravion, l'enseigne Tanner se demandait ce qu'il fallait faire. Personnellement, il aurait souhaité venir en aide à ce sous-marin qui paraissait en difficulté, mais les ordres étaient très stricts : Attaquer et couler tout sous-marin se trouvant dans la zone de défense sans autorisation. Il constata que c'était exactement ce que le *Ward* était en train de faire. Après un instant d'hésitation, Tanner fit un nouveau passage et, cette fois, lança, lui aussi, des charges anti-sous-marines.

À bord du *Ward*, le lieutenant Goepner redoutait qu'il ne s'agisse d'un sous-marin américain. Évidemment, il n'aurait jamais dû se trouver là et il ne ressemblait à rien de ce qu'il connaissait, mais pouvait-il s'agir d'une erreur ? Cette inquiétude était d'ailleurs partagée par l'enseigne Tanner. Lui et son copilote, l'enseigne Clark Greevey, s'efforçaient de se rassurer mutuellement en se disant qu'ils ne faisaient qu'exécuter les ordres. Mais si Tanner s'était trompé... Il imaginait déjà le Conseil de Guerre, il se voyait étiqueté, pour le restant de ses jours, comme l'homme qui avait coulé le sous-marin américain ! Il s'imaginait chassé de la marine, cherchant désespérément un emploi quelconque. Tristement, il signala par radio l'attaque du sous-marin à la base navale de Kaneohe, et commença à attendre l'inévitable fin de sa carrière.

Seul Outerbridge conservait une confiance totale. En fait, il regrettait de n'avoir pas rédigé en termes suffisamment nets son message de 06 h. 51. Il disait : « Avons attaqué à la grenade anti-sous-marine un submersible opérant dans la zone de défense. » Mais on pourrait croire en le lisant qu'il avait simplement aperçu un périscope ou que ses appareils de repérage au son lui avaient signalé quelque chose d'insolite. Il y avait eu, au cours des dernières années, trop d'« attaques » sur des baleines ou des bouées, pour que l'on s'excite outre mesure, au quartier général, à la lecture d'un tel message. Cette fois, le *Ward* avait vu le sous-marin lui-même, et c'était là le fait essentiel qu'il fallait souligner, afin d'amener le commandement à faire quelque chose plutôt qu'à répondre comme à son habitude : « Vérifiez et rendez compte. »

Aussi Outerbridge rédigea-t-il rapidement un nouveau message qu'il passa à 06 h. 53 au quartier général de la 14e région navale. « Nous avons attaqué, annonçait-il cette fois, au canon et à la grenade anti-sous-marine, et coulé un submersible naviguant dans la zone de défense. »

Mais même Outerbridge n'alla pas suffisamment loin. Il aurait pu signaler cet incident extraordinaire par un message en clair et non en code, et gagner ainsi quelques minutes. Il aurait pu envoyer un signal optique à la tour de contrôle du port. Il aurait pu envoyer le premier jet du message qu'il avait d'abord rédigé, mais qui finit en boule dans son tiroir. Il commençait en ces termes : « Avons aperçu kiosque de sous-marin de type inconnu, tiré deux décharges à bout portant... » Mais au moins, lui, il fit quelque chose. Il se montra capable, alors que d'autres demeuraient hypnotisés par la paix, d'annoncer qu'il était rentré dans le chou de quelqu'un.

Ce quelqu'un n'était en tout cas pas l'enseigne Sakamaki. À 06 h. 30, il essayait toujours, avec Inagaki, de redresser le sous-marin. Ce n'était pas facile. Un seul homme à la fois pouvait ramper sur le ventre par l'étroit passage qui menait de l'avant et de l'arrière jusqu'au poste de contrôle. Chacun à son tour, ils firent le trajet, actionnèrent les ballasts, tripotèrent les manettes commandant l'entrée d'air et d'eau à l'intérieur des réservoirs. Au bout d'une heure, ils étaient parvenus à remettre leur submersible à l'horizontale.

Ils purent enfin repartir, et trouvèrent même le temps d'avaler quelque chose. Ils s'assirent l'un en face de l'autre, dans le minuscule poste de contrôle, mâchant leurs boules de riz et avalant leur vin. Après quoi ils se serrèrent la main et une fois de plus se jurèrent de réussir dans leur mission.

Dix minutes plus tard, Sakamaki constata avec horreur dans le périscope qu'ils avaient dérivé de 90 degrés. Il s'efforça de reprendre son cap, mais sans grand succès. Le sous-marin, sans compas gyroscopique, naviguait à l'aveuglette et semblait toujours reprendre la mauvaise direction. Il était près de 07 h. 00 déjà, et l'enseigne Sakamaki, les mains moites et tremblantes d'énervement, se trouvait encore bien loin de l'entrée de Pearl Harbour.

V

07 heures 00 — 07 heures 45

C'était une matinée comme une autre au poste militaire de radar de Opana, près de Kahuku Point, à la pointe nord de Oahu. En général, les soldats Joseph Lockard et George Elliott, durant leur veille de 04 h. 00 à 07 h. 00, enregistraient environ 25 contacts d'avions, mais, ce dimanche, il n'y avait pratiquement rien.

Opana était l'un des cinq postes mobiles répartis le long du périmètre de Oahu. Ils étaient tous reliés au centre d'information de Fort Shafter qui suivait les « trajets » relevés par les postes. Ce système permettait — quand il fonctionnait normalement — de repérer n'importe quel avion dans un rayon de 150 milles. Mais il n'avait été mis en service que fin novembre, et n'était encore guère au point. Lockard, Elliott et leurs camarades passaient le plus clair de leur temps à s'entraîner et à effectuer des réparations.

Au début les postes ne marchaient que de 7 heures du matin à 4 heures de l'après-midi, mais à la suite de l'avertissement de Washington du 27 novembre, le général Short décida de faire commencer la veille à 4 heures du matin, le petit matin lui paraissant la période la plus dangereuse. Les hommes s'entraînaient ensuite de 7 heures à 11 heures du matin et allaient se reposer. Le dimanche, ils ne travaillaient que de 4 à 7.

Tout se passait très simplement à Opana, le plus

éloigné des trois postes, et les six hommes qui y étaient affectés se trouvaient plus ou moins livrés à eux-mêmes. Leur camp était basé à Kawaiola, à une douzaine de kilomètres le long de la côte... Des camions allaient les y chercher et les y ramenaient. En principe, ils devaient travailler par équipes de trois, mais, ce dimanche-là, ils décidèrent qu'une équipe de deux suffirait. En conséquence, Lockard assuma les fonctions d'opérateur, et Elliott s'occupa à la fois du moteur et de la marche des avions repérés. Le troisième homme de l'équipe demeura dans son sac de couchage.

Ils prirent leur service à midi le 6 décembre. Ils devaient à la fois défendre le poste à l'aide d'un pistolet 45 mm et de sept cartouches et le faire fonctionner de 4 à 7 heures le matin suivant. Ils réglèrent le réveil pour 03 h. 45, mirent en marche le radar comme prévu à 04 h. 00 et passèrent les trois heures suivantes à attendre qu'il se passe quelque chose. Il y eut un faible contact vers 06 h. 45 — apparemment deux avions venant du nord-est à environ 130 milles — mais rien de plus. Aussi n'éprouvèrent-ils aucune surprise lorsque le centre d'information de Shafter leur téléphona à 06 h. 54 pour leur dire qu'ils pouvaient commencer à fermer.

Au centre d'information, le lieutenant Kermit Tyler, seul officier de service, avait passé une nuit également tranquille. D'habitude, les cinq postes téléphonaient leurs « contacts », et les hommes poussaient sur la grande table de recherche de petites flèches de bois représentant les avions. Il ne s'agissait encore évidemment que d'un exercice, puisqu'il n'y avait pas d'officiers chargés de séparer les avions « amis » et « ennemis », mais c'était assez réaliste. L'officier de contrôle préparait l'interception des « ennemis ». Son adjoint, l'officier de poursuite, transmettait ses ordres à des escadrilles fantômes de chasseur. Parfois, ils s'entraînaient même avec de véritables avions.

Mais il n'y avait guère d'action ce dimanche-là. De rares contacts, personne pour évaluer le nombre d'avions signalés, pas d'officier de contrôle pour préparer l'interception. En dehors des soldats autour de la table, il n'y avait là que l'officier de poursuite, le lieutenant Tyler. Mais comme il n'avait personne pour lui donner d'ordres, et aucun avion auquel les transmettre, il n'avait rien à faire. Il ne savait d'ailleurs pas très bien ce qu'il aurait dû faire ; ce n'était que la seconde fois qu'il prenait ce service.

En fait, on ne l'avait mis là qu'à des fins d'entraînement. Le major Kenneth Bergquist, commandant le réseau radar, voulait que les jeunes pilotes se familiarisent le plus possible avec cette technique. C'était aujourd'hui le tour de Tyler, et il s'efforçait surtout de ne pas s'endormir.

Pendant les deux premières heures, rien ne se passa. Vers 06 h. 10, un des postes signala un contact, et les « traceurs » commencèrent à faire mouvoir leurs flèches le long de la table. À 06 h. 45, un certain nombre de flèches étaient pointées vers Oahu, à 130 milles au nord de l'île. Et puis l'horloge marqua 07 h. 00, et chacun s'en fut prendre son petit déjeuner.

Tyler demeura seul dans la pièce. Par un de ces mystères dont les militaires ont le secret, son service se poursuivait jusqu'à 08 h. 00, une heure de plus que tous les autres. Il n'avait plus personne pour lui donner des ordres, personne à commander, personne même à qui parler.

À Opana, la fin officielle de leur service ne changeait pas grand-chose pour Lockard et Elliott, car il leur fallait attendre l'arrivée du camion du petit déjeuner. D'habitude, il arrivait vers 07 h. 00, mais il était parfois en retard. Ils décidèrent donc de continuer à faire fonctionner l'appareil jusqu'à l'arrivée du camion. Nouveau venu dans cette unité, Elliott voulait s'entraîner encore un peu. Il commença donc à tripoter les manettes, tandis que Lockard lui expliquait la manière de reconnaître les différents échos, ou « blips ». Tout à coup, un « blip », beaucoup plus grand que tout ce que Lockard avait pu voir précédemment, vint zébrer l'écran du radar. Il était presque aussi grand que l'impulsion principale envoyée par l'appareil même. Lockard crut tout d'abord que celui-ci était détraqué, comme une machine à sous devenue folle. Il poussa de côté Elliott et prit en main les leviers de contrôle. Très vite, il comprit que l'appareil fonctionnait parfaitement ; qu'il s'agissait simplement d'un vol massif d'avions. En quelques secondes, les deux hommes purent repérer la position des avions : 137 milles au nord, 3 degrés à l'est.

À 07 h. 06, Elliott essaya sans succès d'obtenir sur la ligne directe l'un des « traceurs ». Puis, par le circuit militaire normal, il obtint enfin, non sans peine, le soldat Joseph Mac Donald, standardiste du centre d'information. Mac Donald travaillait dans un petit réduit juste à côté de la salle des opérations, et restait à son poste même lorsque le centre était fermé.

D'une seule traite, Elliott annonça la nouvelle : « Un grand nombre d'avions fonce vers nous, venant du nord, 3 degrés est. »

Pensant qu'il ne restait personne au centre, Mac Donald leva les yeux vers la grande horloge de la salle des opérations, afin de noter l'heure de réception du message, et aperçut le lieutenant Tyler tout seul devant la table. Il lui porta le message, et prit soin de préciser qu'il n'avait jamais rien reçu de semblable. « Vous ne croyez pas qu'il faudrait faire quelque chose ? » demanda-t-il. Il proposa de rappeler les traceurs, qui étaient en train de prendre leur petit déjeuner. Ils n'avaient pas tellement l'occasion de s'entraîner, et il semblait que, cette fois, il y avait « une sacrée quantité d'avions ».

Tyler parut peu impressionné. Mac Donald regagna son standard et rappela Opana. Cette fois, il eut au bout du fil Lockard, très excité lui aussi. Les « blips » étaient de plus en plus grands, et de plus en plus rapprochés : 07h. 08, 113 milles... 07 h. 15, 92 milles... cinquante avions au minimum fonçaient sur Hawaii à 180 milles à l'heure.

« Charrie pas », protesta-t-il, lorsque Mac Donald lui expliqua que le lieutenant lui avait dit de ne pas s'inquiéter. Lockard demanda alors à parler lui-même au lieutenant, répétant qu'il n'avait jamais vu tant d'avions, tant d'étincelles sur son écran.

Mac Donald fit signe à Tyler : « Mon lieutenant, je me permets de vous demander de prendre vous-même la communication. » Tyler prit l'écouteur, écouta patiemment, et réfléchit un instant. Il se souvint que les porte-avions étaient sortis — il pouvait donc s'agir d'appareils embarqués de la marine américaine. Il se rappela aussi qu'il avait entendu la radio, en venant en voiture rejoindre son poste. Or elle fonctionnait la nuit chaque fois que des forteresses volantes étaient attendues à Hawaii venant de Californie, afin de leur permettre de s'orienter. De toute façon il s'agissait d'avions « amis ». Coupant court à toute discussion, il déclara à Lockard : « Ne vous en faites donc pas. »

Lockard se dit alors qu'il n'y avait plus de raisons de laisser le poste en marche, mais Elliott voulait continuer à s'entraîner. Ils continuèrent donc à suivre la marche des avions. 07 h. 30, 47 milles de Oahu, 07 h. 39, 22 milles. Ils perdirent alors leur trace dans la « zone morte » provoquée par les collines du littoral.

Juste à ce moment-là, le camion vint les chercher pour les emmener prendre leur petit déjeuner à Kawaiola. Ils verrouillèrent la porte du camion-radar et partirent à 07 h. 45.

Pourtant, au centre d'information de Shafter, le soldat Mac Donald demeurait préoccupé. Il demanda au lieutenant Tyler ce qu'il pensait réellement de cette histoire, et se sentit rassuré de s'entendre répondre : « Ce n'est rien. » Peu après 07 h. 30, un autre standardiste vint le remplacer, mais, avant de quitter le centre, Mac Donald eut tout à coup l'idée de prendre le premier message reçu de Opana, et de le fourrer dans sa poche. Il n'avait jamais rien fait de semblable, mais il voulait montrer ce bout de papier aux copains.

À nouveau, seul dans la salle des opérations, le lieutenant Tyler attendit patiemment la fin de son tour de garde. Le message de Opana ne lui causait aucune espèce d'inquiétude et, sur un point au moins, il avait parfaitement raison. Le fait que la radio ait fonctionné toute la nuit signifiait bien que des forteresses volantes B-17 arrivaient de Californie. À ce moment précis, douze d'entre elles s'approchaient de Oahu, venant du nord-est.

Mais les avions détectés sur l'écran-radar de Opana étaient un peu plus à l'ouest, beaucoup plus nombreux et surtout infiniment plus rapprochés.

Le commandant Mitsuo Fuchida savait qu'ils devaient se trouver presque sur l'objectif — il y avait près d'une heure et demie qu'ils tenaient l'air. Mais une couche épaisse de nuages blancs s'étendaient de tous côtés au-dessous des avions japonais, et il ne pouvait même pas apercevoir l'océan, pour essayer de calculer sa dérive d'après la direction des vagues. Il mit en marche son radio-compas, et se brancha sur un programme matinal de radio de Honolulu. En orientant son antenne, il obtint le cap exact du poste et constata qu'il avait dérivé de 5 degrés. Il effectua la correction nécessaire, suivi par les autres avions.

Ceux-ci l'environnaient de toutes parts. Derrière lui se trouvaient les quarante-huit bombardiers en vol horizontal. À sa gauche et légèrement plus haut les cinquante et un bombardiers en piqué du capitaine Kakwichi Takahashi. À sa droite et légèrement plus bas, les quarante avions-torpilleurs du capitaine Shigeharu Murata. Beaucoup plus haut, les quarante-trois chasseurs d'escorte du capitaine Shigeru Itaya. Les bombardiers volaient à une altitude d'environ 2 700 mètres, les chasseurs vers 4 000 mètres.

Au-dessous, l'horizon demeurait bouché, et Fuchida commençait à s'inquiéter : Y verrait-on aussi mal au-dessus de Pearl Harbour ? Il attendait avec impatience les comptes rendus des avions de reconnaissance ; ils ne devraient plus tarder. Et tout à coup, à travers les accords musicaux, il entendit un bulletin météo ; il tourna le bouton du poste, et entendit plus nettement « nuageux par endroits... surtout au-dessus des montagnes... plafonds 1 500 mètres... bonne visibilité. »

Il savait à présent qu'il pouvait compter voir la couche de nuages se dissiper en arrivant sur Oahu, et aussi qu'il était préférable d'arriver par l'ouest et le sud-ouest plutôt qu'au-dessus des montagnes de l'est. Et, comme il l'espérait, des déchirures apparurent entre les nuages et, juste au-dessous de lui, il put voir une frange d'écume qui se brisait contre une côte verdoyante et accidentée. C'était Kakuku Point, Oahu.

Un des pilotes de bombardier, le lieutenant Toshio

Hashimoto, était complètement sous le charme. La vision de cette île à la végétation luxuriante, de cette eau bleue et claire, des petites maisons aux toits rouges lui donnait l'impression d'être arrivé dans un nouvel univers. Il lui fallait fixer cette scène à jamais. Il sortit sa caméra et prit quelques photos.

Pour le pilote de chasse Yoshio Shiga, ce paysage évoquait les souvenirs heureux d'une croisière d'entraînement effectuée en 1934. Et de revoir Oahu, toujours aussi verte, aussi belle, lui inspirait une étrange nostalgie. Il y pensa durant quelques instants, puis se concentra sur le travail à accomplir.

Le moment était venu pour les avions de se placer en formation de combat, et le commandant Fuchida devait prendre une décision d'importance. Le plan prévoyait deux dispositifs d'attaque différents, l'un dit « Surprise », l'autre « Surprise perdue ». En cas de « Surprise », les avions-torpilleurs devaient attaquer les premiers, suivis par les bombardiers en vol horizontal, et enfin par les bombardiers en piqué, les chasseurs d'escorte demeurant plus haut pour assurer leur protection. Les Japonais espéraient en effet lancer le maximum de torpilles avant que la fumée des explosions de bombes n'ait caché les objectifs. Par contre, en cas de « Surprise perdue », les bombardiers en piqué et les chasseurs devaient d'abord attaquer les aérodromes et les batteries de D.C.A. Les avions-torpilleurs suivraient, une fois que la résistance aurait été neutralisée. Le commandant Fuchida devait lancer une fusée pour « Surprise », deux pour « Surprise perdue ».

Mais il ne savait pas encore si les Américains étaient ou non sur leurs gardes. Les avions de reconnaissance devaient le lui indiquer, mais ils n'avaient encore rien signalé. Il était 07 h. 40, et il ne pouvait attendre plus longtemps. Il suivit son instinct et décida que le plan « Surprise » pouvait jouer.

Il lança un « dragon noir », une fusée à fumée noire. Les bombardiers en piqué commencèrent à décrire des cercles à une altitude de 3 500 mètres, les bombardiers en vol horizontal à descendre à 1 000 mètres. Les avions-torpilleurs, qui avaient l'honneur de lancer l'assaut, les premiers, descendirent au ras des vagues.

Tandis que les avions prenaient ainsi leur formation, Fuchida constata que les chasseurs ne semblaient pas avoir aperçu son signal. Il lança en conséquence une seconde fusée, qui fut vue cette fois par les chasseurs mais aussi par les bombardiers en piqué. Ceux-ci pensèrent qu'il devait s'agir de la seconde fusée signifiant « Surprise perdue ». Les plans soigneusement préparés par le haut commandement nippon pour une attaque par vagues successives sombra dans la confusion, et bombardiers en piqué et avions-torpilleurs s'apprêtèrent à attaquer Pearl Harbour en même temps.

Déjà ils pouvaient voir l'objectif à leur gauche. Le gris inhabituel des navires de guerre américains surprit le lieutenant Shiga. Le commandant Itaya fut frappé par la façon dont les navires étaient soigneusement ancrés par paire, bord à bord, bien en ordre. Mais c'est surtout leur nombre qui intéressa le commandant Fuchida : deux, quatre, huit... Pas de doute, ils étaient tous là.

VI

07 heures 45 — 07 heures 55

Aux côtés de son papa, le jeune James Mann, âgé de treize ans, contemplait les avions qui tournoyaient très haut au-dessus de leur villa de week-end, à Haleiwa, sur la côte nord-ouest de Oahu. Les Mann aimaient bien venir passer un dimanche tranquille à Haleiwa, mais ce matin-là n'était pas précisément tranquille. D'abord le vrombissement des avions avait fait aboyer les chiens. Ceux-ci avaient à leur tour réveillé la famille. Mme Mann avait d'abord pensé que c'était probablement une fois de plus le lieutenant Underwood, du terrain de Wheeler... il venait souvent faire du rase-mottes au-dessus de la plage. Mais Mann et le jeune James avaient rapidement constaté qu'il s'agissait cette fois de tout autre chose.

Plus de cent avions virevoltaient dans le ciel, et se divisaient progressivement en groupe de trois, cinq et sept. Bientôt, plusieurs chasseurs descendirent suffisamment bas pour que James puisse observer : « Tiens, ils ont changé la couleur de leurs avions. » Bientôt, les chasseurs disparurent vers l'est, en direction de Shofield et du terrain de Wheeler. À 07 h. 45, il n'y avait plus un seul appareil en vue.

À douze milles plus au sud, un autre garçon de treize ans, Tommy Young, se livrait avec son père, à la plage du Maile, au sport favori des Hawaiiens : chevaucher les vagues debout sur une planche. Soudain, il entendit le vrombissement des avions. Levant les yeux, il compta soixante-douze avions volant vers le sud-est.

À quatorze milles au sud-est, deux jeunes pêcheurs avaient jeté leurs lignes dans les eaux de Pearl Harbour. Jerry Morton, treize ans, et son petit frère Don, onze ans, étaient assis sur l'embarcadère de Pearl City, une petite péninsule qui avance vers le sud dans le mouillage central. Comme la plupart des enfants de militaires, Jerry et Don considéraient Pearl Harbour comme le plus passionnant des terrains de jeux. Presque chaque matin, lorsqu'ils n'allaient pas à l'école, ils couraient jusqu'à l'embarcadère, à deux cents mètres de leur maison, et déroulaient leurs lignes. Parfois, pas très souvent, une perche particulièrement naïve mordait à l'hameçon. En tout cas, il y avait toujours quelque chose d'amusant à regarder, les bateaux, les avions, les matelots...

Ce matin-là, ils étaient partis, comme à leur habitude, pieds nus, leurs pantalons kaki remontés au-dessus des genoux, leur maillot de corps roulé en boule dans leur poche dès qu'ils avaient été hors de vue de la maison. Rien ne distinguait ce dimanche matin de centaines d'autres, sinon un phénomène extraordinaire : les poissons mordaient. À 07 h. 45, les enfants avaient épuisé leurs appâts, et Jerry, en sa qualité d'aîné, dépêcha le jeune Don en chercher d'autres à la maison.

Où qu'il porte les yeux, Jerry voyait des navires de guerre. Au nord et à l'est, de petits groupes de contre-torpilleurs tiraient sur leurs chaînes. Au sud-est, la plupart des croiseurs étaient amarrés aux jetées de l'arsenal. Plus loin au sud, le croiseur *Helena* était amarré le long du dock 1010, et le cuirassé *Pennsylvania* partageait la cale sèche n° 1 avec deux contre-torpilleurs. À l'ouest se trouvait encore un autre contre-torpilleur, émergeant très haut de sa cale sèche, et enfin, pour fermer le cercle, d'autres contre-torpilleurs, le navire-entrepôt *Medusa* et l'auxiliaire *Curtiss*, mouillés dans la baie.

Juste au milieu du port, l'île Ford dominait la scène. C'était là que le beau-père de Don et Jerry, le mécanicien d'aéronavale Thomas Croft, se trouvait de service ce dimanche, aux hangars des hydravions. Les gros hydravions PBY de la marine, ainsi que les avions embarqués des porte-avions, lorsque ceux-ci se trouvaient au port, y étaient basés. Mais ce jour-là, naturellement, les porte-avions étaient en mer. Aussi leurs amarrages habituels, en face de Pearl City, n'étaient-ils occupés que par les vieux croiseurs *Detroit* et *Raleigh*, l'ex-cuirassé *Utah*, tombé au rang de navire-cible, le navire auxiliaire d'hydravions *Tangier*. Mais les enfants pouvaient apercevoir, à l'extrémité nord-est de l'île Ford, la longue ligne de mâts et de cheminées de « l'allée des cuirassés » ; le *Nevada*, l'*Arizona*, le *Tennessee*, le *West Virginia*, le *Maryland*, l'*Oklahoma* et le *California* étaient tous là.

Mais on ne voyait pas que ces silhouettes glorieuses. Il y avait aussi la « péniche-poubelle » YG-17, dont le rôle modeste consistait à ramasser les ordures de la flotte, le navire-citerne *Neosho*, à l'extrémité sud de « l'allée des cuirassés », le croiseur *Baltimore* vétéran du siècle dernier, ancré au milieu des contre-torpilleurs, le petit ravitailleur d'hydravions *Swan* sur son rail de lancement près des croiseurs, l'antique canonnière *Sacramento*, qui paraissait remonter à l'invention de la vapeur, et le vieux mouilleur de mines *Oglala*, ancré aux côtés du croiseur *Helena* au dock 1010.

Grands et petits, glorieux et modestes, il y avait en tout 96 navires à Pearl Harbour ce dimanche matin.

Elle constituait une grande famille, cette flotte du

Pacifique. La plupart des hommes y connaissaient tous leurs camarades ayant la même spécialité qu'eux, quel que soit le navire sur lequel ils étaient embarqués. Car dans ces jours d'avant-guerre, les mutations étaient rares.

Les vieux officiers mariniers, qui restaient de très longues années à bord du même navire, se montraient paternels envers les jeunes enseignes de vaisseau, qu'ils appelaient « fistons » en tête à tête. Mais ils avaient également un sens aigu de la discipline et de la hiérarchie navale. Les officiers, eux aussi, avaient tendance à vivre en vase clos. Ils sortaient, une promotion après l'autre, des mêmes écoles, franchissaient les mêmes échelons, connaissaient par cœur les états de service de chacun de leurs camarades. Ils buvaient les mêmes coca-cola au carré, endossaient les mêmes uniformes blancs fraîchement repassés, étaient marqués par les mêmes traditions de l'école navale d'Annapolis. Mais certains changements commençaient déjà à apparaître dans ce petit monde fermé. Des officiers de réserve, pleins d'enthousiasme, mais auxquels manquaient les traditions de la caste des professionnels, embarquaient, de plus en plus nombreux à bord des navires. Et avec eux s'introduisaient dans la marine des méthodes nouvelles.

Ainsi Doris Miller, un serveur athlétique du carré des officiers du *West Virginia,* devait s'efforcer de concilier l'ordre ancien et l'ordre nouveau. Chaque matin lui incombait la tâche gigantesque de réveiller l'enseigne Edmond Jacoby, un jeune réserviste de l'Université de Wichita. Au début, Miller se contentait de secouer Jacoby dans sa couchette, mais un officier de carrière lui rappela qu'un simple matelot ne doit jamais toucher un de ses supérieurs. Miller avait alors imaginé une brillante solution, conciliant la nécessité de réveiller Jacoby et celle de respecter son galon. Il ouvrait la porte de la cabine, hurlait dans l'oreille de Jacoby : « Debout là-dedans », et s'enfuyait à toutes jambes.

Mais ce matin-là, Jacoby n'était pas de service, et pouvait dormir autant qu'il le désirait. Il n'y avait que deux officiers au carré des aspirants, et Miller n'avait pas grand-chose à faire.

À bord du *Nevada*, l'enseigne Taussig était de quart. Il essayait de tuer le temps en faisant quelque chose d'utile. Il songea tout à coup que l'une des chaudières fonctionnait depuis quatre jours que le navire était au port, et donna l'ordre qu'on en allume une autre.

À bord de l'*Arizona*, le premier maître James Forbid commandait une corvée chargée d'arranger le pont arrière en prévision du service religieux qui devait s'y tenir. Le vélum flottait au vent, et l'aumônier de la marine William A. Maguire songea qu'il devrait faire disposer un paravent supplémentaire pour maintenir en place les objets du culte sur l'autel. Mais le soleil était déjà chaud, les nuages hauts et, tout compte fait, comme l'aumônier le fit observer à son diacre, « c'était une journée parfaite pour les touristes... ».

À bord de chaque navire, tous les hommes qui n'étaient pas de service éprouvaient le même sentiment, et se préparaient à aller à terre. L'enseigne Thomas Taylor, du *Nevada*, espérait faire un tennis. Le détachement des « Marines » de l'*Helena* allait jouer au football.

Les moins ambitieux se contentaient de flâner sur les ponts. Le matelot-pharmacien William Lynch, du *California*, se souvint que c'était aujourd'hui l'anniversaire de sa sœur, et se prépara à lui écrire. Le mécanicien R.L. Hooton s'assit sur un seau renversé, en face de son armoire du *West Virginia*, et contempla avec attendrissement des photos de son bébé que sa femme venait de lui envoyer.

Un certain nombre d'hommes pensaient déjà à Noël : il n'y avait plus que quinze jours pour faire des courses. Le matelot Leslie Short grimpa jusqu'à l'un des postes de mitrailleuses du *Maryland*, pour être tranquille, et rédigea ses cartes de Noël.

Sur tous les navires, il y avait encore des hommes en train de prendre leur petit déjeuner. Le capitaine de vaisseau Bentham Simons, commandant du *Raleigh*, buvait du café dans sa cabine, en pyjama. Sur l'*Oklahoma*, l'enseigne Bill Ingram, fils d'un célèbre entraîneur de football, commanda des œufs pochés. Le magasinier Jim Varner, du bateau arsenal *Rigel*, s'étendit sur une couchette, et se mit à mordre nonchalamment dans une grappe de raisin en se demandant ce qu'il allait faire de sa journée.

Les petits déjeuners servis à terre étaient plus variés et plus abondants. À la base de réparation des cibles, le matelot Marlin Ayotte se confectionna avec amour quatre œufs au lard, deux assiettes de céréales, des toasts et trois tasses de café. Au cantonnement des travailleurs civils, Ben Rottach invita deux amis du *Raleigh* à partager avec lui une collation d'œufs au jambon arrosés de whisky.

Mais dans les ateliers de réparation de la cale sèche n° 1, quelques malchanceux étaient de service. Ainsi le travailleur civil Harry Danner s'employait à aléser l'arbre de l'hélice tribord du *Pennsylvania*. Mais même là où l'on travaillait, régnait une atmosphère dominicale. Par exemple à l'entrée principale du port, la sentinelle des « Marines » se préparait à faire tirer son portrait par un photographe chinois nommé Tai Sing Loe. À quelques centaines de mètres plus loin, en direction de Honolulu, se trouvait l'entrée principale du terrain de Hickam, où étaient basés les bombardiers de l'armée. D'habitude, les vols d'entraînement étaient fréquents et comprenaient notamment de nombreux rase-mottes au-dessus des installations navales voisines. De leur côté, les avions embarqués à bord des porte-avions exécutaient des attaques simulées sur Hickam. Mais ce matin, tout était tranquille. Les porte-avions étaient en mer, et les bombardiers soigneusement alignés le long de la piste de ciment.

Les mesures antisabotages ordonnées par le général Short à la suite du télégramme d'avertissement reçu de Washington avaient été exécutées à la lettre ; le meilleur moyen de garder les avions consistait évidemment à les grouper en plein air. Ils étaient tous là, indiscutablement, au moins tous ceux en état de voler, que l'on pouvait rapidement dénombrer : six des forteresses volantes B-17, six des douze avions d'attaque A-20, et seulement dix-sept des trente-trois bombardiers B-18, au demeurant parfaitement démodés.

On n'entendait pas le moindre bruit dans les hangars déserts, du côté du terrain le plus proche de Pearl Harbour. Par contre, une intense activité régnait à la tour de contrôle, à l'extrémité gauche des hangars. Le capitaine Gordon Blake, le jeune officier des opérations de la base, s'y tenait depuis 07 h. 00. Puis son camarade, le commandant Roger Ramey, était venu le rejoindre, bientôt suivi par le colonel Cheney Bertholt, commandant en second des forces aériennes de Hawaii, et finalement par le commandant de la base lui-même, le colonel Roger William Farthing. Car tous les officiers dans le secret tenaient à voir arriver les forteresses volantes des États-Unis. C'était, pour l'époque, des avions prodigieux, et en voir arriver douze à la fois constituait vraiment un grand événement. Sur le terrain, le capitaine André d'Alfonso, médecin de la base, avait préparé les « bombes » dont il vaporiserait l'intérieur des carlingues pour tuer les insectes importés des États-Unis.

Partout ailleurs sur la base, les choses se déroulaient à leur rythme habituel. Le sergent Robert Hey s'habillait pour aller disputer un concours de tir à la cible avec le capitaine Chappelmann. Dans les nouveaux cantonnements de béton armé, le sergent-chef Charles Judd, étendu sur son lit, lisait un article, paru dans le dernier numéro du magazine *Aviation*, tournant en dérision la prétendue puissance aérienne japonaise.

Le tableau n'était guère différent au terrain de Wheeler, la base de chasse au centre de l'île. Là aussi, les avions — soixante-deux chasseurs Curtiss P-40 flambant neufs, avaient été disposés en rangs parallèles. Là aussi, la plus grande partie du personnel se trouvait encore au lit. Il y avait cependant deux exceptions : les lieutenants George Welch et Ken Taylor, deux pilotes du petit terrain de Haleiwa, sur la côte ouest de l'île. Ils étaient venus à Wheeler pour le bal hebdomadaire du samedi, et s'étaient ensuite laissé entraîner dans une partie de poker qui avait duré toute la nuit. À présent, ils discutaient d'un choix difficile à faire : aller se coucher ou retourner à Haleiwa prendre un bain matinal dans l'océan. Sans doute, cette discussion constituait à Wheeler l'événement marquant du moment.

Même calme, juste au nord, dans les grandes casernes de l'armée de terre à Shofield. Bien des hommes des 24e et 25e divisions d'infanterie passaient le week-end en permission à Honolulu, d'autres rentrés très tard étaient écroulés sur leurs lits. Au quartier des officiers, non loin de là, la petite Julia, fille du colonel Virgil Miller, était déjà revêtue de sa robe des dimanches, et se préparait à monter dans la voiture familiale pour se rendre à l'église en compagnie de sa mère et de son frère.

À Fort Shafter, le centre administratif de l'armée près de Honolulu, un certain nombre de soldats se dirigeaient eux aussi vers la chapelle catholique. Le colonel Fielder, chef du 2e bureau de l'armée, qui s'était couché tôt après avoir quitté la veille au soir le général Short, avait revêtu un vieux pantalon de toile et une chemise bleue et se préparait à aller pique-niquer en famille au terrain de Bellow, une petite base de chasseurs près de l'extrémité orientale de Oahu. Deux groupes réduits seulement, dont douze P-40, y étaient basés, tous aussi soigneusement alignés que les avions de Hickam et de Wheeler.

À cinq milles plus au nord le long de la côte se trouvait la base de l'aéronavale de Kaneohe d'où opéraient trente-trois des nouveaux hydravions PBY de la marine. Ce matin-là, trois d'entre eux étaient en patrouille. Les autres se trouvaient dans les hangars, ou amarrés dans les eaux bleues de la baie de Kaneohe.

À 07 h. 45, ce paresseux dimanche matin, le même calme régnait à Kaneohe que dans les bases aériennes de l'armée. Le carré des officiers était encore vide, et le capitaine Mac Crimmon, médecin de la base, assis les pieds sur son bureau, se demandait pourquoi diable le journal dominical tardait tant à arriver.

Beaucoup de gens à Honolulu se posaient la même question. Les presses étaient tombées en panne alors que 2 000 exemplaires seulement de l'édition dominicale de l'*Advertiser* étaient sortis, et les exemplaires en avaient été distribués à bord des navires de Pearl Harbour. Mais le grand public avait été sevré de son journal. Malgré les efforts du rédacteur en chef Ray Coll, à Honolulu, il était fort difficile de faire effectuer une réparation un dimanche matin.

À l'autre bout de la ville, Riley Allen, rédacteur en chef du *Star Bulletin*, ne se trouvait pas placé devant le même genre de problèmes : le dimanche, son quotidien du soir ne sortait pas. Mais comme il avait un retard considérable dans sa correspondance, il avait convoqué sa secrétaire, Mlle Winifred Mac Combe ; celle-ci inaugurait ce jour-là son emploi et, à 07 h. 45, elle se demandait si elle n'avait pas eu tort de quitter son précédent poste.

Tandis que la plupart des habitants de Honolulu faisaient la grasse matinée, le contre-torpilleur *Ward* fonçait à toute vapeur devant l'entrée de la rade. Bien des choses s'étaient passées depuis que le sous-marin de poche avait été coulé. À 06 h. 48, le *Ward* avait aperçu, à l'intérieur de la zone interdite, un sampan blanc qui tenta de prendre la fuite. Rejoint rapidement, le patron du sampan, un Japonais, coupa son moteur et agita un drapeau blanc. Ce comportement surprit quelque peu Outerbridge ; les sampans venaient souvent pêcher dans les eaux interdites, mais il était rare que la cérémonie de « capitulation » revête un caractère aussi officiel. Évidemment, le patron du sampan avait dû entendre ce matin de nombreux coups de canon, et avait pu tenir à marquer le caractère inoffensif de ses activités. Dans le doute, le *Ward* commença à escorter le sampan délinquant vers Honolulu, pour le remettre entre les mains des gardes-côtes.

À 07 h. 03, les appareils d'enregistrement au son du *Ward* signalèrent la présence d'un autre sous-marin. Le contre-torpilleur fonça vers l'endroit indiqué, lança cinq charges sous-marines, et Outerbridge vit se répandre, à trois cents mètres de son bord, une énorme tache d'huile noirâtre. Après quoi il revint à son sampan, le branle-bas de combat étant maintenu. Outerbridge signala au quartier général de la 14e région navale de demeurer en alerte en attendant d'autres messages.

C'est le capitaine de corvette Kaminsky, un vieil

officier de réserve qui avait servi comme matelot durant la Première Guerre mondiale, qui reçut tout cela. Officier de jour ce dimanche-là, il n'avait avec lui qu'un marin hawaiien, qui comprenait à peine l'anglais et ignorait ce qu'était un télescripteur.

Par suite du temps nécessaire pour déchiffrer, rédiger et dactylographier, Kaminsky ne reçut qu'à 07 h. 12 le message envoyé à 06 h. 53 par le *Ward* et annonçant qu'un premier sous-marin avait été coulé. Kaminsky essaya d'abord, mais sans succès, d'appeler au téléphone l'aide de camp de l'amiral Bloch. Il appela alors chez lui le capitaine de vaisseau John Earle, chef d'état-major de l'amiral. La sonnerie du téléphone réveilla Mme Earle, qui passa immédiatement l'écouteur à son mari. Au téléphone, Earle sembla surpris et incrédule. Plus tard, il reconnut qu'il avait d'abord cru à l'un de ces « mirages » de sous-marins fréquents depuis quelques mois. Cependant, cette affaire paraissait plus sérieuse : pour la première fois, un navire de guerre avait envoyé des grenades anti-sous-marines. En conséquence, il invita Kaminsky à faire vérifier ce message, et à prévenir l'officier de jour du commandement de la flotte du Pacifique, ainsi que le capitaine Charles Momsen, officier des opérations de la 14e région navale. Earle indiqua qu'il préviendrait lui-même l'amiral Bloch.

Il l'appela à 07 h. 15 et, durant cinq minutes, les deux hommes se demandèrent au téléphone quelle importance devait être attribuée à ce message. Car, en passant de bouche à oreille, le fait essentiel qu'il annonçait, à savoir que Outerbridge affirmait avoir « tiré » sur le sous-marin, et devait donc nécessairement l'avoir vu, avait été oublié. Maintenant, ni Bloch ni Earle ne savaient plus s'il s'agissait d'un simple contact au son ou si le contre-torpilleur avait effectivement vu le submersible. En fin de compte, ils décidèrent, tenant compte de ce que l'on avait ordonné au *Ward* de « vérifier » et, puisque le capitaine Momsen et le commandant de la flotte du Pacifique lui-même avaient été alertés, d'« attendre de nouveaux développements » (suivant l'expression du capitaine Earle).

Entre-temps, Kaminsky avait en effet prévenu le quartier général de la flotte, à la base sous-marine. Le capitaine de corvette Black, officier de jour adjoint, pense avoir reçu le message vers 07 h. 20. Il le transmit à son supérieur, le capitaine de frégate Vincent Murphy, officier de jour en titre, qui était en train de s'habiller dans sa chambre juste à côté. Murphy lui demanda : « Kaminsky a-t-il indiqué ce qu'il faisait ? A-t-il précisé si l'amiral Bloch avait été mis au courant ? »

Black ayant répondu par la négative, Murphy l'invita à rappeler Kaminsky pour se renseigner. Il essaya à plusieurs reprises, mais la ligne était toujours occupée. Murphy, qui avait à présent achevé de s'habiller, dit alors à Black : « Allez au bureau, et commencez à marquer les positions des différents navires. Moi, j'essaie encore une fois d'appeler Kaminsky et je vous rejoins. »

La ligne était toujours occupée. Aussi Murphy donna-t-il l'ordre au standardiste de couper la communication en cours, et de dire à Kaminsky d'appeler le commandement de la flotte du Pacifique. Il n'était pas surprenant que le téléphone de Kaminsky sonne toujours « pas libre... ». Après avoir parlé à Black, il dut téléphoner au capitaine de frégate Momsen, officier des opérations de la région navale, qui lui dit d'appeler l'enseigne Joseph Logan. Puis il mit les gardes-côtes au courant de l'histoire du sampan. À 07 h. 25, Momsen rappela, et lui donna l'ordre de prévenir le contre-torpilleur *Monaghan*, sous pression dans le port, de se mettre en contact avec le *Ward*. Kaminsky téléphona encore au lieutenant Otley de faire fermer le port de Honolulu. Toutes ces communications absorbèrent de précieuses minutes.

Peu après 07 h. 30, le capitaine Murphy se précipita dans son bureau pour décrocher le téléphone qui sonnait. Ce n'était pas l'appel qu'il attendait de Kaminsky mais une communication du capitaine de frégate Logan Ramsey, officier des opérations de la 2e escadrille d'hydravions de reconnaissance à l'île Ford. Les nouvelles de Ramsey étaient d'importance : un PBY venait de signaler qu'il avait coulé un sous-marin à un mille à peu près de l'entrée de Pearl Harbour. Murphy lui dit qu'il avait déjà reçu un message analogue, et, pendant un instant, les deux officiers comparèrent leurs notes.

Le message du PBY émanait de l'enseigne Tanner. Il avait été reçu à 07 h. 00, mais la mise en clair, puis l'incrédulité habituelle avaient encore pris du temps. Le capitaine de frégate Mac Ginnis, chef hiérarchique de Tanner et officier de jour de l'escadrille d'hydravions, avait d'abord pensé qu'il devait s'agir d'une erreur d'identification. Il s'assura donc que les commandants de bord des hydravions en patrouille avaient bien en main toutes les informations concernant les mouvements des sous-marins américains. Ramsey lui-même ne reçut le message qu'à 07 h. 30, et crut d'abord que le *Ward* avait transmis par erreur un signal de manœuvre. Il donna en conséquence l'ordre à l'officier de jour de faire immédiatement confirmer le message. Cependant, par acquit de conscience, il décida de préparer un plan de recherches du mystérieux sous-marin, et de prévenir le commandement de la flotte ; c'était là ce qu'il faisait en ce moment.

Dès que Murphy eut raccroché, son téléphone sonna à nouveau. C'était enfin Kaminsky qui annonça à Murphy que l'amiral Bloch avait été prévenu, que le *Monaghan* était parti à la rescousse, qu'un autre contre-torpilleur avait reçu l'ordre de se préparer à appareiller. Murphy lui demanda : « Aviez-vous précédemment d'autres détails, ou en avez-vous reçu depuis, sur ce combat ? — Non, répondit Kaminsky, ce message est arrivé absolument à l'improviste. »

À 07 h. 40, Murphy téléphona à l'amiral Kimmel pour le mettre au courant. Le commandant en chef de la flotte du Pacifique, qui avait laissé sa femme en Amérique pour se consacrer tout entier à son travail, habitait seul dans une maison neuve et vide, à Makalapa, à cinq minutes de voiture de son quartier général. Dès qu'il eut entendu les nouvelles, il dit à Murphy : « J'arrive immédiatement. »

Puis Ramsey rappela, pour demander s'il n'y avait rien de nouveau. Murphy lui répondit que non, mais l'invita à garder à la disposition de l'amiral des hydravions de reconnaissance prêts à prendre l'air.

Ce fut ensuite Kaminsky qui retéléphona pour rapporter la rencontre du *Ward* avec le sampan. Il en avait déjà parlé à Earle, qui y avait vu la preuve qu'il ne se passait rien de sérieux. S'il y avait un sous-marin dans les parages, pourquoi le *Ward* perdrait-il son temps à escorter un simple sampan jusqu'à Honolulu. Apparemment Earle ne se rendait pas compte que l'incident du sous-marin s'était passé à 06 h. 45 et que le *Ward* le considérait comme définitivement coulé.

Mais Murphy jugea pour sa part l'affaire du sampan comme digne d'intéresser l'amiral qu'il rappela vers 07 h. 50.

Dans le port, le capitaine de corvette Bill Burford s'acquittait de son mieux de ses fonctions de commandant du contre-torpilleur d'alerte *Monaghan*. Celui-ci devait être relevé à 08 h. 00, et la vedette qui devait emmener Burford à terre se trouvait déjà amarrée à la coupée. Mais à 07 h. 51, le quartier général de la 14e région navale avait ordonné au *Monaghan* d'« appareiller immédiatement et de contacter le *Ward* dans la zone de défense ».

Et pendant ce temps-là, sur les autres navires de guerre dans le port, la seule opération prévue était celle du drapeau. À 07 h. 55, le pavillon bleu « Préparez-vous pour les couleurs » flotta en haut du château d'eau de l'arsenal. Sur chaque navire, un homme vint se placer à l'avant avec le pavillon bleu marine aux étoiles blanches de la U.S. Navy, un autre à l'arrière avec le drapeau américain. À 08 h. 00 précises, le pavillon bleu redescendit et on « envoya les couleurs ». Sur les plus petits navires, un officier marinier sifflait ; sur ceux un peu plus grands, un clairon sonnait « Au drapeau ». À bord de certains cuirassés, tel le *Nevada*, il arrivait que la fanfare du bord exécute l'hymne national. Malheureusement l'enseigne de vaisseau Taussig n'avait jamais eu encore l'occasion de commander cette prise d'armes matinale, et ignorait la dimension du drapeau américain que l'on devait hisser. Il envoya discrètement un matelot à l'avant demander quelques éclaircissements à l'*Arizona* voisin. Tandis que tout le monde attendait, quelques-uns des musiciens remarquèrent de petits points noirs dans le ciel vers le sud-ouest.

Les avions approchaient, et de plus d'une direction. Sur le *Raleigh*, l'enseigne Korn distingua une mince ligne au nord-ouest. Sur l'*Arizona*, le matelot Pressler vit un groupe d'avions venant des montagnes de l'est. Sur le *Helm*, le seul navire en mouvement dans tout Pearl Harbour, qui se trouvait dans le chenal principal, le magasinier Frank Handler vit un autre groupe d'avions arrivant du sud à basse altitude. Les avions ne passèrent qu'à cent mètres de distance, survolant directement le chenal en venant de l'entrée du port. L'un des pilotes fit un signe de la main, et Handler lui rendit gaiement son salut. Il remarqua que, contrairement à la plupart des avions américains, ceux-là avaient des trains d'atterrissage fixes.

Tandis que les avions s'approchaient, le pharmacien William Lynch entendit l'un de ses camarades du *California* dire : « Il doit y avoir un porte-avions russe qui nous rend visite. J'ai vu nettement les cercles rouges sur les ailes de ces avions ! »

À bord de l'*Helena*, le matelot signalisateur Charles Flood observa attentivement à la jumelle ces appareils. Ils arrivaient d'une manière très inhabituelle, et pourtant cela lui rappelait quelque chose. Et il se souvint tout à coup de l'attaque japonaise sur Shanghai en 1932, et des bombardements en piqué des avions nippons. Au-dessus de l'île Ford, ces avions étaient en train de piquer de la même façon.

Ils se ruaient enfin sur l'objectif : les 27 bombardiers en piqué du capitaine Takahashi plongeaient sur l'île Ford et sur Hickam... Les 40 avions-torpilleurs du capitaine Murata prenaient leur formation de combat avant d'attaquer les cuirassés. Au large de Barber's Point, le commandant Fuchida attendait son tour, et observait la formation de ses bombardiers en vol horizontal. Ils attaquaient tous en même temps, et non par vagues successives comme le prévoyaient les plans initiaux, mais cela ne changerait sans doute rien au résultat final : les navires n'étaient que des proies sans défense.

Quelques minutes plus tôt, à 07 h. 49, Fuchida avait donné par radio l'ordre d'attaquer. Il se sentait maintenant si sûr de la victoire qu'à 07 h. 53, avant même que ne soient tombées les premières bombes, il avait signalé aux porte-avions que l'attaque avait réussi : « Tora... tora... tora... »

À bord de l'*Akagi*, l'amiral Kusaka se tourna vers l'amiral Nagumo. Les deux hommes n'échangèrent pas un mot, mais se serrèrent longuement la main.

VII

07 heures 55 — 08 heures 00

Le vrombissement d'un bombardier piquant sur la rampe de lancement des hydravions à l'île Ford fit sursauter à son bureau le commandant Logan Ramsey, de la base aéronavale. Il était en train de préparer le plan de recherche du sous-marin signalé par le PBY, et pensa qu'il devait s'agir d'un jeune pilote américain faisant du rase-mottes en dépit des règlements. Il essaya, de concert avec l'officier de jour de la base, de noter le numéro d'immatriculation de l'avion, mais ils arrivèrent trop tard. Il y eut une explosion, et une colonne de poussière et de fumée surgit au pied de la rampe de lancement.

« Tant pis pour le numéro, s'écria Ramsey. C'est un japonais ! »

L'appareil fit sa ressource et remonta le canal séparant l'île Ford du dock 1010. Il passa à moins de deux cents mètres du contre-amiral William Furlong, qui arpentait la passerelle de l'antique mouilleur de mines *Oglala*. Il lui suffit d'apercevoir le cercle rouge clair sur le fuselage de l'avion pour comprendre. Il ordonna le branle-bas de combat, et en tant qu'officier le plus ancien à bord d'un bâtiment de l'escadre, fit hisser le pavillon signifiant : « Ordre de sortie à tous les bâtiments dans le port. »

Deux autres avions piquèrent. Cette fois, ils avaient parfaitement visé. Des morceaux du grand hangar d'hydravions en haut de la rampe voltigèrent dans toutes les directions. L'opérateur radio Harry Mead n'arrivait pas à comprendre pourquoi des avions américains bombardaient la base. Mais son camarade, le matelot Robert Osborne, lui fournit une explication : c'était une erreur de l'armée. « Dis donc, s'exclama-t-il, il y a quelqu'un qui va se faire sonner drôlement les cloches pour avoir mis des vraies bombes sur les avions. »

Les avions survolaient à présent les arbres de Pearl City, et se répartissaient le travail. Deux d'entre eux firent demi-tour et se dirigèrent vers l'*Ulall*, un fonça sur le *Detroit*, et un sur le croiseur *Raleigh.* À bord de ce dernier, l'enseigne de vaisseau Korn, croyant qu'il s'agissait d'avions des « Marines » en manœuvres, appela les équipes de D.C.A. pour qu'ils en profitent pour s'entraîner. Les hommes étaient en train de s'installer à leurs postes de combat lorsque la première torpille éclata juste devant la deuxième cheminée. Il y eut une formidable explosion, suivie d'une violente embardée. À travers un écran aveuglant de fumée, de poussière et d'eau bourbeuse, les hommes purent apercevoir, avant qu'elle ne coule, la vedette qui devait les emmener à l'église, et qui venait de s'amarrer au croiseur au moment de l'explosion.

Le *Detroit* s'en tira indemne, mais l'*Utah* trembla sous un double impact. Le premier-maître Martin Donahue, qui vit l'attaque du contre-torpilleur *Monaghan*, à quelques centaines de mètres au nord, pensa que, cette fois, les aviateurs de l'armée américaine étaient vraiment tombés sur la tête.

Un cinquième avion de ce groupe conserva ses torpilles, survola en trombe l'île Ford et s'attaqua à l'*Oglala* et à l'*Helena*, amarrés côte à côte au dock 1010, l'emplacement habituel du cuirassé *Pennsylvania*, navire-amiral de toute la flotte du Pacifique. La torpille passa sous la quille de l'*Oglala*, amarré à l'extérieur, et explosa en plein milieu de la coque de l'*Helena*, dont la pendule dans la chambre des machines s'arrêta à 07 h. 57. Le choc fit sauter les rivets du vieil *Oglala*. Jeté à bas de sa couchette, le musicien Don Rodenberger pensa que les antiques chaudières du navire avaient fini par exploser.

L'enseigne de vaisseau Broolts, officier de pont, à bord du *West Virginia*, de l'autre côté du canal, eut la même réaction. Il ne pouvait, lui non plus, apercevoir les avions piquant sur les hangars d'hydravions ou sur les navires à l'ancre à l'île Ford. Il ne vit qu'une éruption soudaine de flammes et de fumée au dock 1010 ; quelques secondes plus tard la trompette sonnait le rassemblement et le haut-parleur du bord ordonnait le départ des équipes d'incendie et de sauvetage.

Même les hommes qui virent les avions ne comprirent pas ce qui se passait. Ainsi un petit groupe de sept hommes du navire-atelier *Vestal*, amarré aux côtés de l'*Arizona*, le long de « l'allée des cuirassés » avaient pris une vedette pour aller assister à terre au service religieux. Ils passèrent entre les croiseurs amarrés à leur droite aux quais de l'arsenal et quelques sous-marins à leur gauche. Tout à coup, ils distinguèrent sept ou huit avions-torpilleurs venant de l'est au ras des flots, et se dirigeant vers les cuirassés.

Les hommes étaient un peu surpris, car ils n'avaient jamais vu d'avions américains arriver de cette direction. Leur étonnement se transforma en une véritable stupéfaction lorsque les mitrailleurs de queue des avions leur tirèrent dessus. Mais l'un d'eux, le marin-pompier Frank Stock, se souvint d'un article qu'il avait lu sur des manœuvres « ultraréalistes » dans les États du Sud. Ce devait être le même principe — les aviateurs avaient poussé le réalisme jusqu'à peindre des cercles rouges sur les ailes des appareils. Il ne comprit ce qui se passait qu'en voyant l'un de ses camarades atteint d'une balle dans le ventre par le cinquième avion.

À bord du *Nevada*, à l'extrémité nord de « l'allée des cuirassés », le chef de fanfare se préparait avec ses musiciens à sonner « les couleurs » à 8 heures juste. Vingt-trois musiciens se trouvaient en position depuis 07 h. 55, et marchaient vers l'arrière du navire, quand quelques-uns d'entre eux remarquèrent des avions qui piquaient à l'autre extrémité de l'île Ford. Mac Millan aperçut des colonnes de fumée, mais crut lui aussi qu'il s'agissait d'un exercice. Il était maintenant 07 h. 58 — deux minutes avant l'heure prévue pour les couleurs — et des avions s'approchèrent en rase-mottes tandis que retentissaient des explosions assourdies. 8 heures... La fanfare attaque le *Star Spangled Banner*, l'hymne national américain... Un avion japonais vrombit au-dessus du port, lança une torpille sur l'*Arizona*, et passa juste au-dessus de l'arrière du *Nevada*. Le mitrailleur de queue arrosa au passage les hommes qui se tenaient au garde-à-vous sur deux colonnes, sans atteindre personne. Il réussit cependant à trouer le drapeau qui montait au mât à cet instant précis.

Maintenant Mac Millan avait compris, mais il n'en continua pas moins à diriger sa fanfare. Il ne lui vint pas à l'esprit de s'interrompre au milieu de l'hymne national. Un nouvel avion passa en mitraillant le pont. Cette fois, Mac Millan s'arrêta inconsciemment quelques secondes, tandis que les éclats volaient de toutes parts, mais reprit la mesure sans délai. La fanfare tout entière s'arrêta et reprit avec lui, comme si les musiciens avaient répété depuis des semaines cet exercice. Pas un seul homme ne rompit les rangs avant que le morceau n'ait été achevé. Mais dès la dernière note, chacun courut à toute vitesse se mettre à l'abri.

L'enseigne Taussig, officier de pont, fit sonner la cloche d'alarme. Le trompette du bord se prépara à sonner le branle-bas de combat, mais Taussig saisit son instrument et le jeta par-dessus bord. Il trouvait que le moment des solennités de ce genre était vraiment dépassé, et préféra répéter dans le haut-parleur : « Attention tout le monde, branle-bas de combat. Attaque aérienne. Ce n'est pas un exercice ! »

Sur un bâtiment après l'autre, on comprenait enfin ce qui se passait. À bord du sous-marin *Tautog*, un homme de l'équipe de pont cria par l'ouverture du tube lance-torpille : « C'est la guerre, blague à part ! »

À bord de l'*Oklahoma*, le branle-bas de combat fut ordonné vingt-cinq secondes après le signal d'alerte aérienne. Cette fois, la voix du haut-parleur ajouta quelques mots bien sentis : « Des vrais avions, des vraies bombes, c'est pas un exercice ! »

Sur la plupart des navires, les hommes qui ne se trouvaient pas sur le pont ne se laissèrent pas convaincre facilement. Au moment même où une torpille frappait l'*Helena*, le marin-pompier Messier croyait que le signal d'alerte était encore une brillante idée de l'officier en second pour convaincre l'équipage d'aller à l'église.

À bord du contre-torpilleur *Phelps*, le mécanicien Taylor déclencha à lui tout seul une course de lenteur. Après avoir pris tout son temps pour s'habiller, il s'étira et se dirigea à petits pas vers l'avant pour boire un verre d'eau avant de gagner son poste auprès des chaudières. Mais soudain, arrivant au grand galop, un canonnier fonça sur lui dans une coursive, et lui jeta au passage : « Tire-toi de là. Tu ne sais donc pas qu'on est en guerre ! » Et Taylor grommela entre ses dents : « Espèce d'abruti, comme si cet exercice ne suffisait pas, il faut encore que tu viennes nous casser les pieds ! »

L'aumônier du croiseur *New Orleans* crut que quelqu'un s'était trompé. Il gagna nonchalamment son poste à l'infirmerie pour s'entendre dire sur un ton hésitant par le médecin du bord : « Mon père, il y a des avions là-haut et ils ont l'air japonais. »

L'enseigne Merdinger, du *Nevada*, était en train de s'habiller quand quelqu'un cria : « C'est du sérieux... c'est les Japonais. » Du coup, son pied passa à travers sa chaussette. Il y eut pourtant quelques incrédules qui résistèrent jusqu'au bout. À bord du *Honolulu*, un « Marine » paria un dollar à l'un de ses camarades que c'était l'armée qui faisait une « surprise » à la marine avec des torpilles à blanc. Dans l'atelier de tuyauterie du *Rigel* personne ne leva le nez quand un marin vêtu de son seul caleçon leur apporta la nouvelle en haletant. Ils crurent qu'il simulait la folie pour être renvoyé en Amérique. Et quand un marin du *Pennsylvania* annonça que les Japonais attaquaient, le mécanicien William Felsing répondit ironiquement : « Les Allemands aussi ! »

Mais les réalités du bombardement firent disparaître les derniers doutes. Sur le *West Virginia*, un marin couvert d'huile de machine hurla en passant devant l'enseigne Featherman : « Regardez ce que ces salauds m'ont fait ! »

L'un après l'autre, les hommes acceptèrent l'évidence, certains avec un détachement philosophique, d'autres avec une étonnante naïveté. Le capitaine de vaisseau Mervyn Bennion, commandant du *West Virginia*, déclara à son ordonnance : « Voilà qui est bien dans la tradition japonaise des attaques surprises. » Et sur le contre-torpilleur *Monaghan*, un matelot anonyme s'écria : « Bon Dieu, je savais même pas qu'ils nous en voulaient... »

Courant le long des coursives, escaladant les échelles, se hissant à travers les écoutilles, les hommes gagnaient en toute hâte leurs postes de combat. Et il était temps. L'alerte venait à peine d'être donnée que l'*Oklahoma* était déjà atteint de la première de cinq torpilles, le *West Virginia* de la première de six torpilles. C'étaient là des cibles idéales, dépourvues de l'écran protecteur d'un autre navire. L'*Arizona*, quoique amarré un peu plus au nord et protégé en partie par le *Vestal*, reçut deux torpilles, de même que le *California*, ancré pourtant bien plus au sud et plus difficile à atteindre. Seuls les cuirassés ancrés plus près du rivage aux côtés d'un autre navire, le *Maryland* protégé par l'*Oklahoma* et le *Tennessee* protégé par le *West Virginia*, restèrent indemnes durant cette première attaque.

Pendant qu'explosaient les torpilles, les hommes s'efforçaient de gagner leurs postes, tombant parfois les uns sur les autres. Ainsi le quartier-maître Ed. Vecera, cherchant à arriver sur le pont du *West Virginia*, dut effectuer une véritable course d'obstacles, entre les mitraillages japonais, les portes étanches qui se fermaient devant lui, les autres hommes qui semblaient toujours courir en sens inverse. Finalement il se plaça dans le sillage du commandant Bennion, auquel on frayait la route. Mais ils furent bientôt séparés, et Vecera se trouva détourné dans une autre direction. Il n'arriva jamais à son poste.

Le capitaine de l'*Helena* s'écroula sur le mécanicien Paul Weisemberg qui courait vers la chambre des machines à l'avant du navire. Écrasé sous une table, il finit par se dégager mais trouva coincée la porte étanche menant vers l'avant. Il dut se résigner à aller vers la salle des machines arrière.

La même torpille qui avait atteint l'*Helena* dévasta la cantine de l'*Oglala*, dont le plancher se trouva couvert de débris de verres et de couverts. Courant sans chaussures vers l'infirmerie, le musicien Forgione ne s'aperçut que plusieurs heures plus tard qu'il s'était affreusement entaillé le pied.

Mais c'est l'*Oklahoma* qui fut le plus gravement touché. La deuxième torpille éteignit toutes ses lumières. Les trois suivantes arrachèrent ce qui restait de coque à bâbord. L'eau envahit le navire et la gîte s'accentua immédiatement. Beaucoup d'hommes, à la lueur de quelques lampes de secours, se bousculèrent vers les quelques échelles de tribord, afin de gagner leurs postes de combat. Ce fut, en quelques secondes, une scène de cauchemar aveugle et étouffant.

Et pourtant, les hommes s'attachaient encore à des détails absurdes. Le radio Robert Gamble, du *Tennessee*, ignorant les vieux souliers placés sous sa couchette, ouvrit son armoire et en chaussa une paire toute neuve pour commencer la guerre. Les musiciens du *Nevada* rangèrent leurs instruments avant de gagner leurs postes. Une exception cependant : un homme emporta son cornet à piston, et, dans son excitation, le jeta dans un monte-charge qui hissait des obus de D.C.A. vers les batteries du pont.

Dans la confusion, un certain nombre de navires, contrairement au *Nevada*, n'arborèrent pas leur drapeau. D'autres hissèrent quand même les couleurs, mais d'une façon quelque peu originale. Sur le sous-marin placé à côté du bateau-citerne YO-44, un jeune matelot dut s'y reprendre à trois fois, sous les mitraillages des avions japonais, pour attacher le pavillon au mât, acclamé par ses camarades.

Mais tout près de là, au poste de commande de la base de sous-marins, le premier-maître torpilleur Peter Chang contemplait avec une admiration horrifiée les coups au but des avions nippons. C'était là une terrible leçon pour les élèves indisciplinés de son école de torpillage, et Chang n'hésita pas à en illustrer ses cours par la suite.

Au quartier général de la flotte du Pacifique, dans les locaux de la base sous-marine, le commandant

Murphy était encore en train de parler au téléphone à l'amiral Kimmel de l'affaire du sampan arraisonné par le *Ward* lorsqu'un matelot fit irruption dans la pièce. « Le sémaphore signale que les Japonais attaquent Pearl Harbour, et que ce n'est pas un exercice », annonça-t-il. Murphy transmit la nouvelle à son chef, et donna l'ordre à son officier de transmission d'envoyer par radio le message suivant au chef des opérations navales, aux commandants en chef de la flotte Atlantique et de la flotte d'Extrême-Orient et à tous les bâtiments en mer : « ATTAQUE AÉRIENNE SUR PEARL HARBOUR. CECI N'EST PAS UN EXERCICE. » Le message fut transmis à 08 h. 00, mais Washington était déjà au courant.

Murphy appela ensuite le commandant Ramsey à l'aéronavale et, plein d'optimisme, lui demanda combien d'appareils pouvaient prendre l'air. Ramsey réalisa immédiatement la situation. « Je ne crois pas en avoir un seul, dit-il, mais je gratte tout ce que je peux pour les reconnaissances en mer. »

Dans les logements réservés au personnel de la marine et à leurs familles, tout autour de Pearl Harbour, les gens n'arrivaient pas à comprendre ce qui venait troubler leur matinée dominicale. Le capitaine de vaisseau Hayden, en train de prendre son petit déjeuner à Hospital Point, pensait que l'on déblayait à la dynamite un terrain à construire. Tout à coup son jeune fils Billy arriva au pas de course en criant : « Il y a des avions japonais ! » Le lieutenant Boudreau, qui sortait de son bain, crut qu'un réservoir d'essence avait explosé dans le quartier jusqu'au moment où un avion japonais fit trembler les vitres de la salle de bains.

Rentrant vers sa maison chercher de nouveaux appâts pour sa canne à pêche, le petit Don Morton fut presque renversé par le souffle d'une explosion. Deux autres explosions suivirent. Don arriva jusque chez lui et demanda à sa mère ce qui se passait. Elle lui dit d'aller vite chercher son petit frère Jerry. En ressortant, il vit plusieurs avions qui rasaient les toits. L'un d'eux mitraillait la route, d'où jaillissaient de petites bouffées de poussière. Don n'osa pas aller plus loin, et, en retournant de nouveau vers la maison, il vit leur voisin, un officier de marine, assis dans l'herbe, en pyjama, qui pleurait comme un enfant.

En haut de la colline, à Makalapa, où se trouvaient les logements des officiers supérieurs, l'amiral Kimmel sortit sur sa pelouse dès qu'il eut reçu le coup de téléphone du commandant Murphy lui annonçant l'attaque. Il resta là, une ou deux minutes, à regarder les avions qui effectuaient leur première attaque à la torpille. À ses côtés se tenait Mme John Earle, femme du chef d'état-major de l'amiral Bloch. Elle déclara calmement : « On dirait qu'ils ont eu l'*Oklahoma*. »

« Oui, c'est ce que je vois », répondit l'amiral.

Juste en face et un peu plus bas, Mme Hall Mayfield, femme de l'officier de renseignements de l'amiral Bloch, avait enfoui sa tête sous l'oreiller. Ce bruit l'exaspérait. Le quartier était en plein développement, et, comme il se trouvait sur le versant d'un ancien volcan, on était souvent obligé de faire sauter la lave à la dynamite.

Mais l'oreiller s'avéra inutile. Mme Mayfield renonça et ouvrit les yeux. Fumyo, sa femme de chambre japonaise, se trouvait dans l'embrasure de la porte. Avec son kimono à larges manches, elle avait l'air d'un papillon. Elle essayait de dire quelque chose, mais le son de sa voix se perdait dans le fracas des explosions. Mme Mayfield sauta hors du lit et vint vers elle. « Oh, madame, répétait Fumyo, Pearl Harbour est en feu ! »

À travers la fenêtre, elle vit son mari dans le jardin, en pyjama, qui contemplait le port à la jumelle. Les deux femmes vinrent immédiatement le rejoindre. Les premières paroles de Mme Mayfield furent cet excellent conseil d'épouse : « Hall, veux-tu rentrer immédiatement et mettre ton dentier. »

Mais elle oublia vite le dentier du commandant en voyant la fumée qui couvrait le port. Il ne réussit pas à convaincre son épouse qu'il s'agissait peut-être d'un exercice. Et quand deux avions marqués de l'emblème du Soleil Levant passèrent au-dessus d'eux, ils regagnèrent la maison au pas de course.

Le commandant Mayfield se précipita vers son armoire, et commença à jeter fiévreusement dans toutes les directions ses costumes et son linge. Sa femme choisit ce moment pour poser une question particulièrement maladroite. « Pourquoi les avions de la marine ne font-ils rien ? » demanda-t-elle. Le regard que lui lança le commandant lui montra l'énormité de la trahison qu'elle venait de commettre. « Pourquoi, hurla-t-il en retour, est-ce que l'armée ne fait rien ? »

En haut de la tour de contrôle du terrain de Hickam, juste à l'est de Pearl Harbour, le colonel William Farthing attendait toujours les forteresses volantes qui devaient arriver de Californie. Soudain il aperçut une longue colonne d'avions qui s'approchaient venant du nord-ouest. Ils semblaient être des appareils des « Marines » du terrain de Ewa. Lorsqu'ils commencèrent à piquer, Farthing fit remarquer au colonel Bertholf : « Leurs manœuvres sont vraiment très réalistes. Mais je me demande ce que les "Marines" peuvent faire si tôt un dimanche matin... »

Le sergent Robert Hallyday, qui contemplait le même spectacle du terrain de parade voisin, vit une énorme gerbe d'écume jaillir près de l'île Ford. Il pensa que la marine devait essayer des bombes à eau.

Une des bombes atteignit alors un réservoir d'essence, qui explosa dans un nuage de fumée et de flammes. Quelqu'un dit alors qu'un pauvre pilote de la marine allait avoir de sérieux ennuis.

À ce moment, un avion piqua sur le terrain, le Soleil Levant bien apparent sur son fuselage. Et quelqu'un dit : « Tiens, voilà un avion du "camp rouge". »

Quelques secondes plus tard, chacun courait s'abriter. L'avion avait jeté une bombe et avait ensuite piqué sur l'énorme hangar de réparation du dépôt aérien de Hawaii. C'était le premier d'une longue colonne d'avions fonçant du sud sur Hickam. Personne ne se souvient si ce sont ces avions-là ou ceux qui venaient d'attaquer l'île Ford qui arrivèrent les premiers sur Hickam. Mais en quelques secondes, les deux groupes emplissaient le ciel, mitraillaient les hommes et les avions alignés le long de la piste, bombardaient en piqué les hangars et les bâtiments administratifs.

Au mess, au centre des casernes flambant neuves de Hickam, le soldat Frank Ro hurla un avertissement frénétique à ses camarades, levés tôt, qui étaient en train de prendre leur petit déjeuner. Mais c'était déjà trop tard. Une bombe venait de percer le plafond, et assiettes, plateaux et débris de victuailles volaient dans toutes les directions. Trente-cinq hommes furent tués sur le coup. Les blessés, dont un assommé par un pot de mayonnaise, se frayèrent un chemin parmi les décombres.

La plupart des soldats dormaient encore dans les chambrées. Une galopade dans les couloirs réveilla le sergent Swinney qui remarqua alors, avec plus de curiosité que d'inquiétude, les explosions de bombes et les avions volant en rase-mottes. N'y comprenant rien, il regarda autour de lui. Près d'une porte, il vit un homme armé d'un fusil. Puis un autre arriva, le visage ensanglanté. Il mit le nez dehors juste à temps pour voir un chasseur japonais du type « zéro » passer en trombe au-dessus du hangar. C'est alors seulement qu'il comprit.

Désespérément, les hommes cherchaient à gagner leurs postes de combat. Quelques-uns n'y parvinrent jamais. Le soldat Mark Creighton, pour échapper à la mitraillade, prit refuge dans les W.-C. et cacha sa tête sous un seau de toilette. D'autres y arrivèrent trop tard. Le soldat Emmett Pethoud constata en arrivant devant l'avion qu'il était chargé de garder qu'il avait déjà été réduit en miettes.

Tandis que les terrains de Pearl et de Hickam étaient ainsi ravagés par les explosions, tout demeurait encore calme à Wheeler, la base de chasseurs de l'armée au centre de l'île. À 08 h. 02, le soldat Arthur Fusco qui gardait, armé de son seul fusil, des chasseurs P-40, s'immobilisa soudain en voyant piquer les premiers bombardiers. Il reconnut immédiatement les cercles rouges sur les fuselages, et courut vers le hangar chercher une mitrailleuse. Il ne put briser le cadenas de la pièce où étaient entreposées les armes, mais à ce moment-là cela n'avait plus guère d'importance.

Dans les quartiers d'habitation, les familles en pyjamas et en peignoirs de bain se précipitaient dans les arrière-cours. Un homme vêtu d'une simple serviette-éponge courait le long de la rue principale. Au mess des officiers, les lieutenants Welch et Taylor interrompirent leur discussion sur les mérites comparés de la natation et du sommeil. Welch s'empara d'un téléphone, et appela Haleiwa, où se trouvaient leurs P-40. Oui, les avions étaient indemnes... Oui, on allait immédiatement faire le plein d'essence et charger les mitrailleuses. Welch reposa l'écouteur et les deux hommes s'engouffrèrent dans la voiture de

Taylor à destination d'Haleiwa, mitraillés au passage sans succès par un chasseur « zéro ».

Juste au nord de Wheeler, le major-général Maxwell Murray, commandant la 25e division d'infanterie, entendit un avion piquer sur sa maison à Shofield. Il se précipita à la fenêtre dans l'intention d'identifier le pilote pour le faire punir de cette infraction au règlement interdisant le rase-mottes. L'avion ne passa qu'à 75 mètres de la maison, mais le général ne parvint pas à lire le numéro d'immatriculation. Il courut alors vers la porte, jetant un coup d'œil sur sa montre... Ainsi il connaîtrait au moins l'heure d'atterrissage. À sa grande surprise, l'avion jeta une bombe.

Dans la caserne de Shofield, le soldat Raymond Senecal, réveillé en sursaut, crut que le génie faisait sauter quelque chose. Il sortit de son lit, et constata que le ciel était rempli d'étranges avions au train d'atterrissage fixe. Bientôt ils piquèrent sur le grand quadrilatère de Shofield où les hommes dormaient et mangeaient. Senecal vit clairement les cercles rouges, mais n'en croyait toujours pas ses yeux. Se tournant vers son sergent, il lui donna le conseil du véritable soldat-citoyen : « Appelez quelqu'un au téléphone. »

Le caporal Maurice Herman sortit en courant dans la cour de la caserne, et commença à tourner la manivelle de la sirène d'alerte. Devant les cuisines, les hommes faisaient la queue, leurs gamelles à la main, attendant leur petit déjeuner. Les discussions battaient leur plein, chacun tendait le cou pour apercevoir les avions, hurlait des questions à l'adresse de Herman, mais personne ne voulait abandonner sa place dans la queue. Soudain un avion piqua, semant la confusion dans les rangs, et les hommes partirent au pas de course chercher leurs armes et gagner leurs postes de combat.

Les clairons commencèrent à sonner. Le soldat Frank Gobeo ne savait pas sonner l'appel aux armes, mais il eut une idée brillante qui attira en un clin d'œil les hommes hors des baraquements : il joua la sonnerie de la paye.

Le sergent d'approvisionnement Valentine Lemansky, du 27e régiment d'infanterie, descendit l'escalier quatre à quatre et constata que les hommes avaient déjà forcé les portes du dépôt d'armes. Mais d'autres hommes du même régiment ne purent tirer. Leur sergent refusa de leur donner des munitions, le règlement spécifiant que l'autorisation du commandant de compagnie était nécessaire.

Au centre radar de Fort Shafter, le lieutenant Tyler avait entendu les premières explosions quelques instants avant que ne se termine son service à 08 h. 00. Il sortit du bâtiment et regarda ce qui lui semblait être « des manœuvres navales à Pearl Harbour ». Il entendit alors, un peu plus près, quelques tirs de D.C.A. Il resta là, quoique son service fût maintenant terminé, et peu après 8 heures, reçut un coup de téléphone du sergent Story à la base : « Il y a une attaque aérienne sur Wheeler ! » Tyler sut alors exactement ce qu'il fallait faire ; il rappela les opérateurs radar.

À peu de distance de là, le général Short écouta avec intérêt le vacarme qui venait de se déclencher. Il estima que la marine devait effectuer des manœuvres de combat. Comme la force des explosions augmentait, il sortit sur sa pelouse jeter un coup d'œil. On apercevait beaucoup de fumée à l'ouest, mais il était difficile de savoir de quoi il s'agissait. À 08 h. 03, son chef d'état-major, le colonel Philips, vint lui apporter la nouvelle. Hickam et Wheeler venaient de téléphoner que c'était « une vraie attaque ».

Les vitraux de la chapelle catholique de Shafter

tremblèrent sous le fracas des explosions tout au long de la messe et pendant le sermon. Dès que le sermon eut pris fin, un soldat vint avertir l'aumônier de ce qui se passait. Rapidement, celui-ci se tourna vers les fidèles et leur dit : « Que Dieu vous bénisse tous ! Les Japonais attaquent Pearl Harbour. Regagnez immédiatement vos unités. »

À vingt milles de là, de l'autre côté des montagnes de Koolau, le capitaine de frégate Mac Crimmon entendit des avions passer à basse altitude au-dessus de l'infirmerie de la base aéronavale de Kaneohe. Quelqu'un dans la pièce parla de manœuvres de l'armée, et Mac Crimmon sortit pour mieux voir de quoi il s'agissait. Trois avions en formation serrée passaient en rase-mottes en tirant des balles traceuses. Ils effectuèrent trois attaques successives sur les hangars, et l'un des bâtiments commença à flamber. Conformément au règlement, Mac Crimmon envoya immédiatement une ambulance vers le lieu de l'incendie.

Un autre avion passa, les cercles rouges bien en évidence sur le fuselage. Cette fois, Mac Crimmon donna l'ordre à l'un de ses subordonnés « d'appeler Pearl Harbour et de demander de l'aide ». Il obtint la communication, mais Pearl Harbour répondit que, ce jour-là, il était impossible d'aider qui que ce soit. Mac Crimmon appela ensuite sa femme, et lui dit ne pas l'attendre, la base étant attaquée. Elle répondit paisiblement : « Rentre à la maison ; tout est oublié. »

Au carré des officiers, non loin des hangars, Walter Simons venait de mettre le couvert quand le mitraillage commença. Il avait quelques minutes à perdre, et sortit voir ce qui se passait. Lorsqu'il aperçut le hangar en train de brûler, il rentra au galop dans le carré, avertit un officier qui venait d'arriver pour le petit déjeuner, et tous deux s'attelèrent à la tâche surhumaine de réveiller plusieurs centaines d'aviateurs un dimanche matin.

L'enseigne de vaisseau George Shute fit irruption dans la chambre de l'enseigne Hubert Reese en criant : « Il y a un bon dieu de pilote de l'armée qui est devenu cinglé et qui est en train de mitrailler les hangars ! » À titre de preuve, il tenait à la main une douille encore chaude.

Reese regarda par la fenêtre, vit les cercles rouges sur les fuselages et alla se joindre au petit groupe en train de donner l'alerte. Il réveilla l'enseigne Bellinger, dont la réaction fut : « Vous êtes pas saouls, les gars... Laissez-moi roupiller. » Il regarda à son tour et détala, lui aussi, en criant la nouvelle à travers les couloirs.

Cinq pilotes s'entassèrent dans la voiture de Willis et partirent à toute vitesse vers les hangars. Des balles percèrent le toit de la voiture, qui continua cependant à rouler. Ils arrivèrent de justesse au hangar, au moment même où un second avion attaquant la voiture faisait exploser le réservoir d'essence. Mais partout déjà l'incendie faisait rage et trente-trois avions — tous ceux qui se trouvaient à Kaneohe à l'exception de trois hydravions PBY en patrouille — étaient en train de brûler.

Le tableau n'était guère différent à Ewa, le terrain d'aviation des « Marines » à l'ouest de Pearl Harbour. Le capitaine Leonard Ashwell, qui était officier de jour, identifia immédiatement, contrairement à la plupart de ses collègues, les avions-torpilleurs qui approchaient, en deux longues colonnes le long de la côte. Au moment même où il donnait l'alerte, vingt et un chasseur « zéro » commencèrent à mitrailler la base. Quelques-uns s'attaquèrent aux avions alignés les uns derrière les autres, d'autres aux hangars et aux pistes. L'un d'eux mitrailla la vieille voiture du lieutenant-colonel Claude Larkin, commandant de la base, qui venait prendre son service, et qui n'eut que le temps de s'abriter dans un fossé, lorsqu'il arriva à 08 h. 05, 33 de ses 49 avions brûlaient déjà.

À l'hôtel « Halekulani », sur la célèbre plage de Waikiki, le bruit des explosions réveilla Joseph Harsch, correspondant du *Christian Science Monitor.* Il s'était trouvé, l'hiver précédent, à Berlin, où il avait assisté à bien des bombardements aériens. Il réveilla sa femme et lui dit : « Chérie, tu m'as souvent demandé à quoi ressemblait une attaque d'aviation. Écoute ça, c'est une bonne imitation. »

« Ah, c'est vraiment comme ça ? » murmura-t-elle. Après quoi tous deux se rendormirent.

À Honolulu, la plupart des gens ne s'intéressaient guère à ce qui se passait. L'écrivain Blake Clark, en entendant le vacarme, pensa qu'il s'agissait d'exercices d'artillerie. En descendant prendre son petit déjeuner, il ne remarqua que l'absence de l'édition dominicale de l'*Advertiser.* Il alla l'acheter chez un marchand de journaux, et rentra chez lui le lire. Le cuisinier japonais ayant raconté que l'on voyait beaucoup d'avions dans le ciel, il ressortit sur la pelouse contempler le spectacle. Son voisin, M. Frear, se déclara rassuré par cet étalage de la force aérienne américaine.

Mais il était inévitable que quelques civils aient quand même vent des événements qui se déroulaient. Jim Duncan, un contremaître de Pearl Harbour, qui prenait des leçons de pilotage, devait passer ce matin-là son épreuve de navigation, en compagnie de son moniteur Tommy Tommerlin, à bord d'un petit appareil, Aeronca. Ils venaient de survoler un temple mormon près de Kahuku Point lorsqu'ils entendirent un crépitement de mitrailleuse, puis un autre. Leur avion fut durement secoué. Duncan crut d'abord qu'un pilote de l'armée s'amusait à leur faire peur, mais il changea d'avis en voyant les balles traceuses qui perforaient son fuselage. Deux avions étaient montés vers eux, et leur tiraient dessus de tout près, puis faisaient demi-tour et revenaient sur eux. Et cette fois, Duncan vit pour la première fois les emblèmes rouges du Soleil Levant qui lui parurent gigantesques.

Duncan piqua vers la côte, espérant s'abriter en descendant au ras des falaises escarpées qui bordaient la mer. C'était là une sage décision, car les deux avions japonais allèrent bientôt rejoindre l'armada qui fonçait vers Pearl Harbour. L'Aeronca, bien que touché, put arriver jusqu'à l'aérodrome civil de John Rogers, juste à l'est de Pearl Harbour.

Un autre pilote amateur, l'avocat Roy Vitouseck, eut des ennuis du même genre au-dessus de John Rogers. En compagnie de son fils Martin, il se préparait à atterrir, lorsqu'il vit la première explosion à l'île Ford. Des avions tournaient en rond autour de lui, mais il ne fit pas le rapprochement entre ces appareils et ce qui se passait au sol. De nouvelles explosions retentirent dans le port et dans les hangars d'aviation, et les derniers doutes de Vitouseck se dissipèrent lorsqu'il aperçut l'insigne du Soleil Levant sur les avions volant au-dessous de lui.

Deux d'entre eux s'approchèrent de lui, et l'avocat piqua vers la mer. Après une rafale de principe, les Japonais attaquèrent John Rogers. Dès que les choses lui parurent plus calmes, Vitouseck s'y posa, et trouva tout le monde indigné ! « Vous avez vu ces fous ? » lui demanda-t-on. « Ils doivent être saouls ! On n'a pas idée de s'entraîner avec des balles réelles... »

On s'efforça le plus longtemps possible, sur l'aérodrome, de faire comme si tout était normal. Lorsque le haut-parleur annonça à 08 h. 00 le départ de l'avion régulier vers l'île de Maui, les passagers passèrent comme d'habitude sur l'aire de décollage. Parmi eux se trouvait le docteur Homer Izumi, un médecin de Maui qui venait de passer quelques jours à Honolulu pour affaires. Il monta à bord, tenant à la main un paquet de ses gâteaux favoris, et salua à travers le hublot les amis qui l'avaient accompagné à l'aérodrome. Tout à coup, il vit quelqu'un qui courait à travers le terrain. On ouvrit la porte, et tous les passagers furent invités à sortir de l'appareil.

Il alla rejoindre ses amis qui lui conseillèrent de regagner Honolulu avec eux. Entre-temps, il y avait eu de nouveaux mitraillages, et un pilote civil avait été tué. Le docteur pensait cependant que son avion ne tarderait pas à décoller. Il se trompait, car l'aérodrome fut bientôt transformé en champ de bataille. Et lorsqu'un gros avion piqua vers lui, il alla s'abriter derrière un palmier, tenant toujours précieusement son paquet de gâteaux, et regrettant de n'avoir pas embrassé son petit garçon avant de quitter Maui.

VIII

08 heures 00 — 08 heures 30

Au sommet de la hune du *Maryland*, le matelot Vernon Short avait renoncé à envoyer des cartes de Noël par une tranquille matinée de dimanche. Après un regard rapide sur les avions piquant vers l'île Ford, il chargea sa mitrailleuse, et commença à tirer sur les premiers avions-torpilleurs.

D'autres firent de même : le maître-canonnier Walter Bowe à bord du *Tucker*, au mouillage des contre-torpilleurs au nord, et le matelot Frank Johnson, sur le contre-torpilleur *Beagley* près de l'arsenal. Le matelot George Sallet vit les balles de la mitrailleuse de Johnson atteindre un avion-torpilleur qui passait, et le mitrailleur de queue s'écrouler dans sa cabine, « exactement comme au cinéma ».

On tirait encore de l'*Helena* au dock 1010, du *Tautog* à la base sous-marine, du *Raleigh* au nord-ouest de l'île Ford. À bord du *Nevada* un matelot considéré jusqu'alors comme particulièrement inutile s'empara d'une mitrailleuse de 30 et descendit un avion-torpilleur qui piquait droit sur le navire. Ce fut là un des rares succès américains de la journée.

Ici et là quelques canons furent mis en batterie, mais au début en nombre lamentablement réduit. « L'ordre de préparation numéro 3 était en vigueur, ce qui signifiait une batterie de D.C.A. par secteur, et des instructions avaient été données pour prévoir du personnel sur des canons supplémentaires à bord des cuirassés. Mais quels qu'aient été les ordres officiels, les hommes qui se trouvaient embarqués n'ont pas souvenir d'une différence quelconque avec un dimanche normal de temps de paix.

Sur quelques navires, des hommes occupant des positions clefs se trouvaient encore à terre, dont cinq des commandants de cuirassés et la moitié des officiers des contre-torpilleurs. Sur d'autres, les hommes se trouvaient immobilisés par les attaques aériennes, bloqués par la fermeture des portes étanches, ou simplement incapables encore de réagir devant la rapidité des événements. Le matelot Robert Benton, l'un des servants d'un canon de cinq pouces du *West Virginia,* attendit en vain à son poste l'apparition du reste de l'équipe. Le matelot Alfred Horne attendit si longtemps sur la passerelle de signalisation du ravitailleur de sous-marin *Pelias* qu'il finit par renoncer et redescendit l'échelle tombant presque dans les bras du commandant, qui grommela : « Où diable croyez-vous aller ? »

D'autres retards se produisirent après que les hommes eurent pu gagner leurs postes. Il fallait d'abord enlever les housses de protection des canons. D'autres hommes n'obtinrent pas sans peine armes et munitions. À l'île Ford, un officier de ravitaillement se montra inflexible : « Pas de mitrailleuse de trente sans un ordre de réquisition réglementaire A-507. » Mais sur le *Helm*, le commandant répondit à un canonnier qui lui demandait la permission d'aller chercher la clef des soutes à munitions : « Au diable les clefs. Faites sauter les cadenas ! »

Sur le *New Orleans* ils ouvrirent à coups de hache à incendie les caisses de munitions. Un maître-canonnier fit sauter au marteau les verrous des soutes du *Pennsylvania.* Il avait déjà subi une attaque japonaise alors qu'il se trouvait à bord de la canonnière *Panay*, en 1937, et il annonça qu'il n'avait pas l'intention de les laisser recommencer impunément. Sur le *Monaghan*, le premier-maître Thomas Donahue, qui se trouvait déjà en permission libérable, reprit ses fonctions de chef de pièce du canon numéro 4. Pendant que l'on sciait les ferrures des caisses à munitions, Donahue trompait son impatience en lançant des clefs anglaises en direction des avions. Quelqu'un l'appela des soutes à munitions, et lui demanda de quoi il avait besoin. « De poudre, répondit-il. Je ne peux pas m'empêcher de leur lancer des choses. »

Ils le prirent au mot, et lui envoyèrent de la poudre sans obus. Sans se décourager, il commença par tirer des obus d'exercice. C'était toujours mieux que les clefs anglaises.

Sur le pont arrière du *Detroit*, les hommes frappaient contre le blindage des tourelles leurs obus de trois pouces pour briser les capsules de protection des fusées, au risque de faire sauter le navire. Sur le *Bagley* on pointa sur un avion japonais en rase-mottes un canon de cinq pouces. Le matelot George Sallet appuya sur la gâchette... et il ne se passa rien. Quelqu'un sur le *Honolulu* juste à côté cria et montra du doigt le tube du canon, dont on avait oublié de retirer le bouchon protecteur de cuivre. Les servants d'un des canons du *Honolulu* commirent d'ailleurs le même oubli, mais, dans ce cas-là, elle n'eut aucune importance car le premier obus fit sauter le bouchon.

De plus en plus nombreuses, les pièces tiraient à présent, mais on avait perdu dix précieuses minutes, alors que chaque seconde comptait dans « l'allée des cuirassés ».

Un autre avion piqua sur le *Nevada*, dont les mitrailleuses de hune crachèrent à nouveau. Cet avion-là, lui aussi, vacilla sous le choc, et ne put se redresser. Hurlant de joie, les hommes le virent s'abîmer dans la mer juste en avant du navire. Le pilote réussit à se dégager et passa, flottant sur le dos, le long du *Nevada.* Mais cette fois-ci, le succès américain était venu trop tard. Le « Marine » Mac Daniel distingua l'éclair argenté de la torpille qui approchait du flanc gauche du navire. Il s'attendait plus ou moins à voir le *Nevada* se briser en deux et couler en flammes, comme dans les illustrations de l'autre guerre, mais il y eut simplement un léger frémissement, et le cuirassé commença à s'incliner vers bâbord.

Puis une bombe éclata près du poste de commandement des batteries de D.C.A. tribord. L'enseigne Taussig qui se trouvait là à son poste de combat s'aperçut tout à coup qu'il tenait son pied droit sous le bras. Machinalement, il pensa : « Quelle drôle de position pour un pied ! » et fut fort étonné d'entendre le premier-maître Allen Owens, qui se trouvait à ses côtés, proférer exactement la même remarque à voix haute.

À bord de l'*Arizona*, en avant du *Nevada*, les choses allèrent plus vite. Le petit navire de réparation *Vestal*, amarré le long du flanc extérieur du cuirassé, ne protégeait guère celui-ci. Presque immédiatement, une torpille le frappa dans ses œuvres vives, et les bombardiers de Fuchida déversèrent sur le navire une véritable grêle d'acier. Une bombe de gros calibre défonça le pont des embarcations entre les pièces numéro 4 et numéro 6, et une autre frappa la tourelle numéro 4. Le haut-parleur annonça : « Incendie au gaillard d'arrière », et se tut définitivement. L'opérateur radio Glenn Lane et trois de ses camarades s'emparèrent d'une pompe à incendie, mais il n'y avait plus de pression. Sans succès, ils réclamèrent au téléphone que l'on fasse monter la pression, tandis que les déflagrations risquaient à chaque instant de leur faire perdre l'équilibre.

Le *Vestal*, à côté, semblait encaisser tout ce qui ratait l'*Arizona*. Une bombe passa à travers une écoutille ouverte de haut en bas et explosa en traversant le fond de la coque. La cale numéro 3 fut immédiatement inondée, et le bâtiment commença à s'incliner vers l'arrière. Un matelot puni, enfermé dans les locaux disciplinaires, hurla pour que l'on vienne le délivrer, et on fit finalement sauter la serrure à coups de revolver.

Plus en avant encore, le *Tennessee* semblait encore indemne, mais le *West Virginia* sur son flanc extérieur avait déjà terriblement souffert. Une torpille explosa juste sous la casemate où le matelot Robert Benton attendait les autres servants de sa pièce. Il la vit venir vers lui figé, incapable de bouger. Projeté en l'air par l'explosion, il se releva, courut à travers le pont et alla s'abriter derrière une plaque de blindage à tribord. Levant la tête, il vit les bombardiers à vol horizontal, et dans le soleil levant, les bombes qui tombaient, ressemblant, durant une fraction de seconde, à des flocons de neige.

Dans les compartiments intérieurs du navire, les hommes se voyaient épargnés de telles visions, mais leur situation n'était guère plus plaisante. Le magasinier Donald Brown dans la soute à munitions inférieure, à trois étages sous le pont, tenta en vain de faire marcher le téléphone. Aucune ligne ne fonctionnait plus. Les torpilles éclataient, des fumées étouffantes se répandaient à l'intérieur du navire, maintenant plongé dans l'obscurité. La gîte s'accentuait. Des hommes commencèrent à hurler dans le noir. Quelqu'un cria : « Abandonnez le navire ! » et les hommes cherchèrent à tâtons l'échelle de remontée. Brown pensa qu'il n'avait aucune chance d'y parvenir dans la mêlée des hommes qui se bousculaient, et il gagna un compartiment voisin, où il trouva une échelle pour lui tout seul. Il parvint jusqu'au deuxième entrepont, mais ne put monter plus haut. Il n'y avait plus rien à faire, plus aucun endroit où aller. Avec un de ses camarades, il s'assit pour attendre la fin devant une table d'où il balaya la vaisselle sale du petit déjeuner.

Dans le poste de commandement de l'artillerie du bord, situé bien au-dessous de la ligne de flottaison, la situation paraissait également désespérée. On entendait les torpilles qui explosaient quelque part aux étages supérieurs, et, par une écoutille, l'enseigne Victor Delano vit que l'eau commençait à gagner le troisième entrepont. L'écoutille se mit à vomir une épaisse fumée jaunâtre, et la gîte s'accentua. Tables, chaises, couchettes glissèrent à travers la pièce pour aller s'écraser contre la cloison bâbord. Dans le central de communications intérieures, situé dans la pièce voisine, des étincelles jaillissaient des fils par suite des courts-circuits. Les hommes étaient pâles mais calmes.

Une eau huileuse commença à couler à travers les orifices du système de ventilation, puis de la fumée jaune se répandit à nouveau. Tout semblait maintenant inutile ; et Delano conduisit son équipe vers le centre de contrôle des avaries du navire. Avant de refermer derrière lui la porte étanche, il appela pour s'assurer que personne n'avait été oublié. Tout à coup six électriciens, couverts d'huile, surgirent d'on ne sait où. Ils avaient été projetés à travers l'écoutille d'un étage supérieur. Puis l'aspirant-électricien Charles Duval cria qu'on l'attende. Il semblait en difficulté, et Delano rentra dans la pièce pour l'aider, mais il glissa sur le plancher huileux, tomba sur Duval, et les corps enchevêtrés des deux hommes furent projetés, au milieu des tables et des chaises, contre la paroi inférieure.

Ils ne purent se remettre sur leurs pieds, car il y avait de l'huile partout et, incapables même de ramper, durent effectuer une véritable ascension en s'accrochant à des fils téléphoniques qui pendaient. Arrivés à grand-peine au centre de contrôle des avaries, ils y trouvèrent une situation presque aussi grave. Les lumières baissèrent, s'éteignirent, puis se rallumèrent faiblement, un circuit de secours ayant pu être mis en service. Derrière la porte étanche du côté où penchait le navire, l'eau commença à monter, s'infiltrant à travers la bordure et fusant par un orifice d'échappement d'air. Delano pouvait entendre les supplications et les cris des hommes restés derrière cette porte, et songea avec angoisse au choix que devait faire le capitaine de frégate Harper, officier des avaries du *West Virginia* : condamner ces hommes à une mort certaine ou ouvrir la porte, et mettre en péril le navire en même temps que la vie des hommes qui se trouvaient dans le compartiment central. La porte demeura fermée.

Harper s'efforçait désespérément d'entrer en contact avec le reste du navire, afin de diriger les mesures permettant de rétablir l'équilibre du navire en l'inondant en partie volontairement. Mais tous les circuits de transmission étaient coupés. Le nécessaire fut cependant fait par le lieutenant Ricketts, qui avait occupé précédemment les fonctions de Harper, et avait mis au point de sa propre initiative un plan destiné exactement à faire face à ce genre de situation. Aidé d'un seul matelot, qui savait faire fonctionner les robinets et les valves, il réussit à redresser lentement le cuirassé, qui se posa tout droit sur la vase du fond.

On n'eut pas le temps de prendre des mesures du même genre sur l'*Oklahoma*, qui se trouvait en avant du *West Virginia* et aux côtés du *Maryland*. Se trouvant totalement exposé, le cuirassé reçut immédiatement trois torpilles, puis deux de plus au moment où il commençait à pencher vers bâbord.

Ce qui est assez bizarre, c'est qu'un certain nombre de membres de l'équipage ne se rendirent pas compte que le navire avait été atteint par des torpilles. Le matelot George Murphy entendit les mots « attaque aérienne » dans le haut-parleur et pensa qu'il s'agissait de bombes. En compagnie de centaines d'autres hommes, qui n'avaient pas de postes fixes en cas d'attaque aérienne, il descendit vers le troisième entrepont, protégé par des plaques de blindage.

L'eau monta, les lampes de secours s'éteignirent. L'enfer se déchaînait. Des gros obus de cinq cents kilos, échappés à leurs amarres, balayaient les hommes devant eux. Des rouleaux de câbles d'acier de remorquage roulaient sur les planchers, bloquant l'accès des échelles du second entrepont. La porte de la pharmacie s'ouvrit d'elle-même, et des centaines de bouteilles de médicaments se répandirent dans les coursives. Deux ou trois marins disparurent glissant sur le liquide répandu, piétinant sur les éclats de verre. On se battait pour atteindre le pont par les quelques échelles encore accessibles. Sur l'échelle de la division S, c'était un véritable embouteillage, à quelques mètres seulement de l'air libre. Chaque fois qu'une explosion retentissait à l'extérieur, les hommes se précipitaient par les écoutilles vers les profondeurs du navire, se heurtant à ceux venus des entreponts qui cherchaient à gagner le pont supérieur. Il devint bientôt impossible de se mouvoir dans quelque direction que ce fût. Le matelot Murphy renonça à bouger, et s'appliqua simplement à rester debout dans la seule position possible, c'est-à-dire, étant donné la gîte, un pied sur le pont et l'autre sur une cloison.

Le matelot Curry trouva un meilleur moyen de se libérer. Lui-même et quelques-uns de ses camarades se trouvaient encore dans la salle des machines sur le troisième entrepont au moment où le navire atteignait 60 degrés de bande. L'un d'eux découvrit un manche à air, et, l'un après l'autre, tous l'escaladèrent jusqu'au pont supérieur. Ils se heurtèrent là à un officier qui s'efforça de les renvoyer vers les entreponts, où ils auraient été à l'abri des éclats de bombes. Ceux-ci constituaient en effet le danger principal puisque, affirma cet officier, un cuirassé est construit de telle façon qu'il ne saurait se retourner.

À plusieurs centaines de mètres en avant de l'*Oklahoma* — et seul embossé à la pointe sud de « l'allée des cuirassés » — le *California* fut atteint par une première torpille à 08 h. 05. Le matelot Durrell Connor la vit venir de son poste dans la chambre des signaux. Il ferma le hublot au moment même où le projectile frappait la coque exactement en dessous de lui.

Une autre torpille toucha alors le navire vers l'arrière, et il est possible qu'il y en ait eu d'autres encore. Le *California* était particulièrement vulnérable, les panneaux de six des écoutilles donnant accès à sa double coque ayant été enlevés en vue d'une inspection qui devait être effectuée le lendemain lundi. Une douzaine d'autres panneaux étaient entrouverts. L'eau s'y engouffra et se répandit dans tout le cuirassé.

Elle emplit les soutes à mazout dont le choc avait déjà disjoint les tôles, se mêlant au carburant et mettant hors d'action la centrale électrique. Elle envahit le poste de compression d'air à l'avant, où le mécanicien Robert Scott s'efforçait encore de faire parvenir de l'air comprimé aux pièces de cinq pouces. Les autres marins abandonnèrent le poste en criant à Scott de les suivre. Il leur répondit : « Je suis à mon poste ! J'y resterai tant que les canons tireront ! » Ils le laissèrent là en fermant derrière eux la porte étanche.

Privés d'électricité, les hommes s'efforcèrent désespérément d'accomplir à force de bras les tâches destinées aux machines. Le matelot Connor se joignit à une longue chaîne d'hommes qui passaient aux pièces des gargousses et des obus. Des vapeurs asphyxiantes provenant des réservoirs de carburants rendirent leur travail plus pénible, et le bruit se répandit que le navire était en butte à une attaque par les gaz. Au point de rassemblement des blessés, le pharmacien William Lynch enfonçait la porte des placards et cherchait en vain de la morphine. Près du centre des transmissions un matelot priait à genoux sous une échelle. Impassible au milieu du chaos, un homme tapait inlassablement la phrase qui sert aux États-Unis à vérifier le bon fonctionnement des machines à écrire : « Le moment est venu pour tous les hommes de bonne volonté de venir au secours de leur parti... »

Sur la rade, personne ne prêtait attention aux difficultés du *California.* Tous les regards étaient rivés sur l'*Oklahoma.* De son bungalow de l'île Ford, le premier-maître Albert Molter le vit se renverser sur le côté, « lentement et avec dignité comme s'il était fatigué et cherchait le repos ». L'*Oklahoma* continua à s'incliner jusqu'à ce que ses mâts et ses superstructures se soient enfoncés dans la vase, laissant apparaître sa quille pareille à une énorme baleine échouée.

Huit minutes seulement s'étaient écoulées depuis l'explosion de la première torpille.

À bord du *Maryland*, l'électricien Harold North se souvint des imprécations qui avaient fusé le vendredi précédent, quand l'*Oklahoma* avait été amarré bord à bord, empêchant toute ventilation pendant la nuit.

Sur l'*Oklahoma* les hommes ne désespéraient pas encore. Le cambusier Terry Armstrong se trouvait seul dans un compartiment exigu du deuxième pont. Comme l'eau s'y engouffrait, il ouvrit un hublot par lequel il réussit à s'échapper. Le matelot Malcolm Mac Cleary se sauva de la même façon en passant par le hublot d'un lavabo. L'aumônier catholique Aloysius Schmitt s'efforçait d'emprunter une voie analogue, mais un bréviaire qu'il portait dans sa poche se coinça contre l'embrasure du hublot. Redescendu dans le compartiment et cherchant à se débarrasser de son livre de prières, il vit plusieurs hommes qui se précipitaient vers le hublot. Il se porta à leur aide, au mépris de sa propre sécurité, et réussit à en sauver trois ou peut-être quatre avant que le compartiment n'ait été complètement submergé.

Certains hommes ne se rendaient même pas compte du danger qu'ils couraient. Suffoquant, nageant, ils essayaient de s'orienter dans le monde à l'envers des poches d'air qui se formaient au fur et à mesure que le cuirassé se renversait. Le matelot George Murphy pataugeait dans la salle d'opérations de l'infirmerie, se demandant quelle partie du navire avait un plafond en céramique. Il ne soupçonnait pas qu'il avait le plancher au-dessus de sa tête.

Sur le pont supérieur, la situation paraissait moins confuse. À mesure que le navire roulait sur lui-même, la plupart des membres de l'équipage purent échapper au flot montant en enjambant le bastingage et en marchant le long de la coque, puis sur la quille elle-même.

Chacun se sortit d'affaire comme il put. Ceux qui s'étaient cramponnés aux haussières par lesquelles le *Maryland* était amarré aux bouées furent précipités à la mer quand ces cordages se rompirent. Le fusilier-marin Leo Wars, qui s'était laissé glisser le long d'un filin et se trouvait dans l'eau, crut se noyer quand un de ses camarades se servit de sa tête comme d'un marchepied pour monter dans une chaloupe. Un de ses amis, par contre, le sergent Norman Currier, marcha tranquillement le long de la coque vers l'arrière, héla une embarcation qui passait, et réussit à se sauver sans même s'être mouillé le bout des pieds.

L'*Arizona* fit explosion peu après. Certains prétendirent par la suite qu'une bombe était tombée dans sa cheminée, mais l'enquête devait révéler plus tard qu'elle était sans doute tombée à côté de la seconde tourelle, défonçant le gaillard d'avant et faisant sauter les soutes à munitions qui s'y trouvaient.

Quoi qu'il en soit, on vit un énorme champignon de feu et de fumée s'élever à cent cinquante mètres de hauteur. La déflagration fut terrible. Elle fit caler le moteur de la camionnette de dépannage que conduisait l'armurier Harand Quisdorf dans l'île Ford. Elle projeta le premier-maître Albert Molter contre la rampe de l'escalier de sa cave ; elle renversa tous ceux que le pompier Stanley Rabe transportait sur une chaloupe. Elle jeta à la mer le canonnier Cary Garnett et des douzaines d'autres hommes qui se trouvaient à bord du *Nevada*. Le commandant Cassin Young, sur le *Vestal*, eut le même sort, ainsi que l'enseigne Vance Fowler sur le *West Virginia*. Au-dessus d'eux, le bombardier que pilotait le commandant Fuchida fut secoué comme un prunier. Sur l'embarcadère de Merry's Point, un capitaine de vaisseau se tordait les mains en pleurant.

À bord de l'*Arizona*, des centaines d'hommes furent fauchés d'un seul coup. Au poste de direction de tir anti-aérien de bâbord, un des servants se volatilisa littéralement. Il n'avait pu passer que par l'étroite meurtrière du télémètre. Sur la passerelle, le contre-amiral Isaac Kidd et le capitaine Franklin

Van Valkenburgh furent tués instantanément. Sur le pont des embarcations, la fanfare du navire fut tout entière anéantie.

Plus de mille hommes avaient disparu.

Pour incroyable que cela paraisse, il y avait pourtant des survivants. Le major Allen Shapley, du détachement embarqué des « Marines », se trouva projeté du mât de misaine loin du navire. Bien qu'à demi paralysé, il nagea jusqu'à l'île Ford, aidant au passage deux autres naufragés. Le radio-télégraphiste Glenn Lane fut projeté de la passerelle et se retrouva nageant dans une eau saturée d'huile. Se retournant vers l'*Arizona*, il n'aperçut plus à bord aucun signe de vie.

Des hommes cependant s'y trouvaient encore ; sur le pont arrière, le maître d'équipage James Forbis eut l'impression d'être écorché vif. La quatrième tourelle se remplissait d'une épaisse fumée ; il parvint néanmoins avec ses camarades à gagner la tourelle numéro 3, où les conditions étaient un peu meilleures, mais où bientôt la fumée enveloppa également les pièces d'artillerie.

Les hommes se déshabillèrent, ne gardant sur eux que leurs caleçons, et enveloppèrent les canons de leurs vêtements pour empêcher la fumée d'y pénétrer. Lorsque quelqu'un leur donna enfin l'ordre d'évacuer, Forbis enleva ses chaussures fraîchement cirées, et les garda à la main en quittant la tourelle. Le pont était brûlant et couvert d'huile. Mais il restait quelques endroits secs à proximité de la tourelle numéro 4, et, avant de reprendre sa place au combat, Forbis y plaça soigneusement ses chaussures, les talons tournés vers la tourelle, comme s'il pensait les porter ce soir-là dans la grande rue de Honolulu.

Dans le poste de direction de tir antiaérien de bâbord, Russell Lott s'enveloppa dans une couverture et réussit à ouvrir la porte pourtant déjà déformée par la chaleur. La couverture l'empêcha d'être écorché vif, mais le pont était tellement chaud qu'il devait sauter continuellement d'un pied sur l'autre. Cinq de ses camarades surgirent à travers la fumée, et il étendit la couverture comme une sorte d'écran protecteur pour tous. Il vit alors le *Vestal* toujours bord à bord. L'explosion avait causé sur son pont des dégâts terribles, mais quelqu'un leur lança une corde, et, l'un après l'autre, les six hommes réussirent à passer sur le petit navire de réparation.

Ils avaient d'ailleurs de la chance de trouver encore quelqu'un à bord du *Vestal*, car l'explosion avait projeté par-dessus bord une partie de l'équipage, dont le commandant Cassin Young, et le second avait donné l'ordre aux autres d'évacuer le navire. Ainsi le matelot Thomas Garzione descendit le long d'une corde à l'avant, et se trouva installé sur l'ancre. Ne sachant pas nager, il resta là un certain temps, absolument terrifié. Finalement, rassemblant tout son courage, il fit le signe de croix et sauta à l'eau, se pinçant le nez. Et bien que ne sachant pas nager, il parvint en un temps record jusqu'à une baleinière qui flottait au milieu des épaves.

Le signalisateur Adolph Zlabis sauta du haut du pont et gagna une vedette. De là, avec quelques autres, il cria des encouragements à un jeune matelot qui se tenait sur une échelle de corde du *Vestal* à deux mètres de l'eau. Finalement il lâcha et fit un superbe plat ventre. Dans la vedette, les hommes ne purent s'empêcher de rire.

L'opérateur radio John Murphy, qui se trouvait encore à son poste sur le *Vestal*, vit passer devant sa cabine une longue colonne d'hommes qui se préparaient à abandonner le navire. Un autre des opérateurs radio vit passer son frère. Il cria : « Je vais avec lui ! » et courut vers la porte. Sans trop savoir pourquoi, Murphy décida de rester, tout en se disant qu'il aimerait bien revoir sa ville natale une fois avant d'être tué.

À ce moment-là, le commandant Young tout dégouttant d'eau réussit à remonter à bord du *Vestal*. Il n'avait pas du tout l'intention de renoncer encore à sauver son navire, et interpella du haut de l'échelle de coupée les nageurs et les hommes dans les embarcations : « Revenez, leur cria-t-il. Nous n'abandonnons pas encore. »

La plupart des membres de l'équipage obéirent, et Young donna l'ordre de larguer les amarres. Les hommes commencèrent à couper les filins qui rattachaient le *Vestal* à l'*Arizona* brûlant à ses côtés. Naturellement il s'ensuivit une certaine confusion. Un officier de l'*Arizona* cria : « Ne coupez pas ces cordes. » Mais d'autres hommes du cuirassé aidèrent leurs camarades du *Vestal*. Le mécanicien d'aviation Graham coupa à la hache la dernière amarre en hurlant : « F... le camp d'ici avant qu'il ne soit trop tard ! »

Une aide imprévue fut également apportée par un remorqueur de la marine dont le patron et le chef mécanicien avaient tous deux servi durant de longues années à bord du *Vestal*. Ils s'emparèrent d'un filin à l'arrière du navire et le remorquèrent vers l'embarcadère d'Aiea où il put attendre, dans une sécurité relative, la fin de l'attaque.

Lorsque l'*Arizona* fit explosion, le premier-maître électricien Harold North, du *Maryland*, cria que la fin du monde était venue. En fait, le *Maryland* s'en tirait à assez bon compte. Amarré sur le flanc intérieur de l'*Oklahoma*, le cuirassé ne fut atteint par aucune torpille, et seulement par deux obus. Le premier, un obus percutant de quinze pouces, équipé d'ailerons, explosa juste par le bossoir de bâbord et pénétra dans la coque jusqu'à six mètres au-dessous de la ligne de flottaison. Le second frappa le gaillard d'avant, incendiant le vélum de toile disposé contre le soleil. Le premier-maître George Haitle vit les pompiers courir se mettre à l'abri lorsqu'un chasseur s'approcha en mitraillant. L'un d'eux jeta son extincteur par une écoutille. Il explosa aux pieds d'un vieil officier marinier qui saisit un masque en criant : « Des gaz asphyxiants ! »

Le *Tennessee*, seul autre cuirassé à être « protégé » sur son flanc extérieur, avait plus souffert. Regardant par un hublot, le marin Burkholder vit un obus de seize pouces exploser sur la tourelle numéro 2 à quelques mètres en avant. Arraché de ses gonds par la déflagration, le volet du hublot vint le frapper à la tête et le projeter à travers la porte. Une fois dehors, il donna quelques soins à un enseigne blessé, mais ne put rien faire pour un de ses meilleurs amis. Celui-ci était si grièvement atteint qu'il implorait Burkholder de l'achever.

Un autre obus percutant éclata dans la tourelle numéro 3 plus à l'arrière. Il n'y eut pas de détonation assourdissante, mais une boule de feu, de la taille d'un ballon de basket-ball, apparut tout à coup au-dessus de la tête des servants, semblant rouler d'elle-même inflexiblement. L'un des servants, le marin Bowen, au moment où il rampait pour atteindre le pont au-dessous de lui, s'aperçut que ses lacets de souliers étaient en train de brûler.

Des éclats d'obus qui avaient atteint le *Tennessee* volèrent dans toutes les directions. Un gros éclat balaya le pont du *West Virginia*, qui se trouvait bord à bord, et faucha le commandant du cuirassé, le capitaine de vaisseau Mervyn Bennion. Il s'écroula contre la porte de la chambre des transmissions de tribord. Peu après, l'enseigne Delano arriva sur le pont. Le lieutenant de vaisseau White arriva en courant, et lui demanda de faire ce qu'il pourrait pour le commandant.

Delano comprit immédiatement que celui-ci était perdu. Le commandant Bennion avait été touché à l'estomac, et il n'y avait pas besoin d'être médecin pour se rendre compte que la blessure était fatale. Il était cependant parfaitement conscient, et on pouvait au moins adoucir son agonie. Delano ouvrit une trousse de première urgence, et chercha en vain de la morphine. Il trouva par contre un bidon d'éther, et essaya de l'endormir. Il s'assit aux côtés du mourant, tenant sa tête d'une main et le bidon d'éther de l'autre. L'éther rendit le commandant somnolent, mais jamais inconscient. De temps en temps, Delano plaçait ses jambes dans une position plus confortable, mais il ne pouvait pas faire grand-chose.

Pendant qu'ils étaient assis côte à côte, le commandant Bennion l'assaillait de questions. Il lui demanda quelle tournure prenait la bataille, ce que faisait le *West Virginia*, si le navire et les hommes étaient très atteints. Delano répondit de son mieux, n'hésitant pas devant quelques pieux mensonges. Il assura par exemple le commandant que les canons tiraient toujours.

D'autres hommes vinrent se joindre à Delano. Tous ensemble, avec d'infinies précautions, soulevèrent leur commandant et l'installèrent à l'abri du blockhaus. Il restait parfaitement conscient, et se rendait compte que l'incendie était en train de gagner. Il ne cessait de demander aux hommes autour de lui de le laisser là et de songer à leur propre sécurité.

Dans sa maison de Makalapa, Mme Mayfield ne comprenait toujours pas ce qui se passait. Elle regarda par une fenêtre la maison de l'amiral Kimmel, de l'autre côté de la rue. Elle constata que les volets étaient fermés, et qu'il n'y avait aucun signe d'activité. Il ne lui vint pas à l'esprit que ce matin-là, l'amiral avait autre chose à faire qu'à ouvrir ses volets.

Le commandant Mayfield était maintenant habillé. Il avala à la hâte quelques gorgées de café et sortit en quatrième vitesse. Juste à ce moment-là, la voiture officielle du commandant en chef de la flotte du Pacifique s'arrêtait dans un crissement de pneus devant la maison de l'amiral. Celui-ci descendit l'escalier en courant et sauta dedans, en achevant de nouer sa cravate. Le commandant Freeland Daubin, commandant une division de sous-marins, sauta sur le marchepied, et la voiture démarra en trombe, suivie par celle du commandant Earle.

Cinq minutes plus tard, l'amiral Kimmel arrivait à son quartier général à la base sous-marine. Il était 08 h. 05 selon lui, 08 h. 10 selon le capitaine Murphy. En tout cas, très peu de temps après son arrivée, le gros de la flotte était par le fond ou immobilisé. L'*Arizona*, l'*Oklahoma* et le *West Virginia* étaient coulés, le *California* en train de sombrer, le *Maryland* et le *Tennessee* bloqués par les bâtiments coulés à leur côté, le *Pennsylvania* en cale sèche incapable de bouger. Seul restait le *Nevada* mais atteint par une torpille et deux bombes, ses chances de s'en sortir semblaient des plus limitées.

Le tableau n'était guère plus brillant pour les bâtiments de moindre importance. De l'autre côté de l'île Ford, le bateau cible *Utah* avait déjà une forte gîte vers bâbord, au moment où son chef mécanicien le capitaine Isquith enfilait son uniforme par-dessus son pyjama. La sonnette d'alarme retentit pendant quelques secondes, puis s'arrêta. Les hommes se rassemblèrent dans les entreponts pour s'abriter des bombes. Isquith comprit que le navire n'en avait plus pour longtemps, et dit à l'officier de jour de faire remonter tout le monde sur le pont.

Les hommes conservaient un calme parfait, peut-être parce qu'ils avaient l'habitude d'être « bombardés » tous les jours par l'armée et la marine. En arrivant sur le pont principal, le mécanicien David Gilmartin constata que le bastingage de bâbord se trouvait déjà sous l'eau. Deux fois, il essaya d'escalader le pont vers tribord, et deux fois glissa vers bâbord. Il s'aperçut alors qu'il avait tenté l'ascension en tenant à la main une cartouche de cigarettes. Il s'en débarrassa et réussit enfin l'escalade.

Au fur et à mesure que la gîte s'accentuait, les grandes planches de bois qui couvraient le pont pour amortir le choc des tirs d'exercice commencèrent à se détacher. Ce sont ces morceaux de bois qui avaient fait croire aux aviateurs japonais que l'*Utah* était l'un des porte-avions américains rentré au port à l'improviste. À présent ils constituaient encore un danger en roulant sur les hommes qui essayaient de monter.

Comme le bateau s'inclinait de plus en plus, Isquith descendit vérifier qu'il ne restait personne bloqué à l'intérieur — et faillit lui-même demeurer bloqué. Il réussit à atteindre la cabine du commandant, d'où une porte donnait sur le gaillard d'avant. Une planche avait coincé la porte, et il dut passer par le hublot, qui se trouvait, en raison de l'inclinaison du navire, juste au-dessus de sa tête, en montant sur la couchette du commandant. Au moment où il passait la tête à travers le hublot, la couchette se détacha et roula à l'autre bout de la cabine. Il faillit retomber dans la cabine mais le capitaine Winser, l'officier radio, le rattrapa juste à temps par une main et le hissa à travers le hublot. Arrivé enfin sur le pont, il glissa et tomba à l'eau. Au milieu des mitraillages des chasseurs japonais, ses hommes l'aidèrent à gagner l'île Ford, à demi mort d'épuisement.

Mais d'autres n'eurent pas cette chance, et restèrent à bord de l'*Utah* : le pompier John Vaesseb, dans la salle des dynamos, qu'il réussit à faire marcher jusqu'au dernier moment, le chef Peter Tomich, qui ne voulut pas quitter la salle des chaudières afin de s'assurer que tous les hommes étaient partis, le lieutenant Black, second officier mécanicien, qui ne put dégager son pied coincé dans la porte de sa cabine, le servant du mess Smith, qui avait toujours si peur de l'eau.

Parmi les autres bâtiments qui se trouvaient également de ce côté-là de l'île Ford, le *Tangier* et le *Detroit* étaient indemnes. Mais le *Raleigh* penchait lourdement vers bâbord. L'eau envahit les chambres de chauffe numéros 1 et 2 et la salle de machines avant, se mélangeant au combustible et coupant le courant électrique. Personne n'eut le temps de s'habiller, et c'est en pyjamas, en chemises hawaiiennes ou en costumes de bain que les hommes s'efforcèrent désespérément de sauver leur navire.

L'île Ford, où tous ces bateaux étaient amarrés, se trouvait elle-même dans un chaos complet. Les mitrailleurs japonais s'étaient mis sérieusement au travail, et la plupart des hommes essayaient de se faire le plus petit possible. Le magasinier Jack Rogovsky était accroupi sous une table, et grignotait des raisins. Les hommes du laboratoire photo avaient plongé sous les tables d'acier servant au développement. Quelques-uns des aviateurs avaient cherché refuge dans un fossé de trois mètres de profondeur, qu'on était en train de creuser pour y installer des tuyaux d'essence à l'extrémité de la piste d'envol. Un groupe d'hommes qui s'y cachaient aussi croyaient qu'on les avait oubliés dans la retraite générale. Ils avaient décidé que leur seul espoir était de trouver des fusils, traverser à la nage le canal séparant l'île Ford de Oahu et tenir dans les montagnes jusqu'à la libération.

Il n'y avait guère lieu de se réjouir non plus à l'arsenal maritime. Sur les navires ancrés dans les docks, les tireurs d'arrière étaient parfaitement placés pour viser les avions japonais piquant sur les cuirassés, mais la plupart d'entre eux se trouvaient pratiquement sans armes. Le *San Francisco* était en révision. Tous ses canons avaient été envoyés à l'armurerie à terre, ainsi que la plupart de ses munitions. Il en allait de même à bord du navire de réparation *Rigel*. Le *Saint Louis* se trouvait officiellement en état de « disponibilité limitée ». On installait le radar à son bord, son pont était couvert d'échafaudages et de câbles, et trois de ses cinq canons antiaériens de cinq pouces avaient été démontés.

Le petit *Sacramento* venait seulement de quitter la cale sèche, et, conformément au règlement, la plupart des soutes à munitions avaient été vidées. Le *Swan* fit ce qu'il put avec ses deux canons de trois pouces. On devait installer très prochainement un canon supplémentaire sur son pont supérieur, mais il n'y était pas encore et un matelot pharmacien, installé là où il aurait dû être, jurait furieusement. Les autres navires avaient moins de difficultés, quoiqu'il y ait peu de pression sur le *New Orleans*, et que, selon le matelot Morley, « on avait tout préparé pour le week-end » à bord du *Honolulu*.

Sur ces navires, les hommes, moins bousculés que leurs camarades des cuirassés, avaient plus de temps pour penser à ce qui arrivait. Sur le *New Orleans*, le plus grand débauché du navire lisait l'Évangile à son poste de combat. Peu après, il devait payer toutes ses dettes de jeu et jeter ses dés à la mer. Un jeune mécanicien du *San Francisco*, qui n'avait rien à faire puisque les chaudières avaient été démontées, monta sur le pont et annonça pensivement à l'enseigne John Parrott : « Je suis venu mourir avec vous. » Le mécanicien Henry Johnson, du *Rigel*, expliqua qu'il comprenait à présent ce que devait ressentir un lapin, et qu'il ne chasserait plus jamais. Quelques minutes plus tard, il était couché sur le pont mortellement blessé.

Chez beaucoup d'hommes, assistant impuissants au drame, la peur se changea en rage. Le capitaine Duncan Curry, type parfait du vieux loup de mer, déchargeait son revolver vers le ciel, du pont du *Ramapo*, le visage inondé de larmes. Sur le *New Orleans* un vieil officier marinier tirait, lui aussi, au revolver, défiant les Japonais de revenir se battre avec lui. Un homme tirait au fusil de chasse près de la base sous-marine.

Sur le dock 1010, un jeune « Marine » déchargeait son fusil sur les avions japonais. Un petit Nippo-Américain de sept ans lui alluma une cigarette. Son mégot lui brûlait les lèvres, mais il ne s'en apercevait pas. Tout en tirant, il s'écria : « Si ma mère me voyait ! »

Le dock même était parsemé de débris de l'*Helena* et de l'*Oglala* qui s'y trouvaient amarrés. Dans la chambre des machines à l'arrière de l'*Helena*, qui avait été torpillé, le premier-maître mécanicien Paul Weisenberger s'efforçait d'enrayer la montée de l'eau qui pénétrait par le circuit de vidange. L'explosion avait mis en branle la sirène d'alerte aux gaz, dont le hurlement strident ajoutait à la confusion. Le sous-lieutenant des « Marines » Bernard Kelly s'essoufflait à alimenter les canons en munitions, et se heurtait sans cesse à des matelots consciencieux qui fermaient devant lui les portes étanches.

Le pont supérieur présentait un tableau de dévastation. On avait l'impression qu'un cyclone était passé sur le gaillard d'avant où tout avait été disposé pour la messe juste avant l'attaque.

À tribord, l'*Oglala* penchait fortement. Ses pavillons de signalisation traînaient sur le pont de l'*Helena.* De l'autre côté du canal, « l'allée des cuirassés » n'était qu'un brasier. Et, dominant la scène, un magnifique arc-en-ciel s'étalait au-dessus de l'île Ford.

Un peu plus bas que le dock 1010, se profilaient, en cale sèche, les silhouettes encore intactes du *Pennsylvania* et des contre-torpilleurs *Cassin* et *Downes*, ainsi que celle du contre-torpilleur *Shaw* dans la cale sèche flottante un peu plus à l'ouest. Sur le *Pennsylvania*, l'équipage attendait, les nerfs tendus. Le capitaine James Craig, second du cuirassé, vérifiait, à droite et à gauche, que tout était en état pour le combat du moins dans la mesure du possible sur un bâtiment en cale sèche. Il invita le maître d'équipage Robert Jones, et son équipe de contrôle des avaries, à se coucher à plat ventre sur le pont. Ils savaient ce qu'ils avaient à faire, leur dit-il, mais devaient être prêts au pire.

Les difficultés avaient d'ailleurs déjà commencé pour les canonniers. Le circuit électrique ne fonctionnait plus, et les commandes de tir devaient être actionnées à la main. Par-dessus le marché, les pièces, chargées de munitions trop vieilles, ne cessaient de s'enrayer. Le premier-maître canonnier se voyait obligé, puisqu'il ne pouvait jeter par-dessus bord les obus n'ayant pas quitté le canon, de les entasser sur le pont, où ils constituaient une cible idéale. Mais de toute façon, il pensait qu'il n'y avait plus guère d'espoir.

Le tableau était à peu près le même à bord des navires ancrés dans le port même. À bord du *Montgomery*, l'opérateur radio Leonard Stagieh, installé devant son émetteur, écrivait des prières sur un calepin. Dans la cabine radio du navire de servitude de l'aéronavale *Curtiss*, le radio James Raines écoutait avec trois camarades la pétarade qui retentissait à l'extérieur. Ils n'avaient pas d'ordres, et ne pouvaient qu'attendre. Portes et hublots avaient été fermés, et dans la petite pièce où les ventilateurs s'étaient arrêtés, il faisait une chaleur accablante. Ils enlevèrent leurs chemises et à tour de rôle se collèrent aux oreilles le lourd casque radio. Les ordres ne venaient pas. Ils marchaient à travers la pièce, s'asseyaient par terre, et se demandaient constamment ce qui se passait à l'extérieur. De temps en temps, le haut-parleur bredouillait des ordres incompréhensibles, qui ne faisaient qu'accroître leur inquiétude. Et toujours pas d'ordres !

Ce qui était le plus exaspérant pour les équipages des navires à l'ancre, c'était de ne pas bouger. Il fallait du temps pour faire monter suffisamment de pression : une heure pour un contre-torpilleur, deux heures pour un plus gros bâtiment. En attendant, les hommes ne pouvaient tirer que manuellement, essayer d'éviter les mitraillages des chasseurs japonais et, suivant leur formule favorite, contempler « l'enfer déchaîné ».

Le contre-torpilleur *Monaghan* avait au départ un léger avantage sur les autres navires. Étant, avant l'attaque, le contre-torpilleur « de service », ses feux se trouvaient naturellement allumés. Et de plus, le commandant Bill Burford avait fait monter la pression dès 07 h. 50, lorsqu'il avait reçu l'ordre de sortir pour contacter le *Ward.* D'ici quelques minutes, à présent, le *Monaghan* allait pouvoir partir, mais chaque seconde paraissait un siècle.

À ce moment-là, le contre-torpilleur *Helm* demeurait encore le seul bâtiment américain en mouvement. Il n'y avait que vingt minutes que le quartier-maître Handler avait amicalement salué de la main l'aviateur volant en rase-mottes au-dessus du chenal. Après la première explosion, le commandant Carroll avait ordonné le branle-bas de combat, fait demi-tour vers la haute mer, observé le pavillon hissé par l'amiral

Furlong donnant l'ordre de sortie générale et se trouvait maintenant prêt à l'action. Il se tourna vers Handler, et lui dit : « Prenez la direction de la manœuvre, moi, je m'occupe des batteries. »

Handler n'avait jamais sorti seul le navire du port. Le chenal n'était pas facile, la vitesse maximum y était de 14 nœuds, et on confiait en général cette tâche aux officiers les plus expérimentés. Il prit la barre, et actionna le « télégraphe » pour ordonner aux machines 400 tours/minute. Les mécaniciens demandèrent confirmation de cet ordre, qu'il répéta. Le navire bondit en avant et fonça dans le canal à 27 nœuds. Pour arranger les choses, il n'y avait pas une seule boussole à bord, et toute la navigation devait être faite à l'estime. Mais Handler avait un atout dans son jeu : le filet antitorpilles était toujours grand ouvert. Ainsi fonçait le *Helm*, guidé par un novice, dépourvu même d'un compas, et défiant allégrement tous les règlements de la marine.

Handler était maintenant prêt à toute éventualité. Et il ne se démonta nullement lorsque, à 08 h. 17, il se trouva face à face avec un sous-marin de poche japonais. Il le vit à l'instant même où le *Helm* sortait du port à toute vapeur, d'abord le périscope puis le kiosque. Il flottait au gré des vagues à l'avant tribord du contre-torpilleur, entre les coraux et les bouées marquant l'entrée de la passe. Les canons du *Helm* tirèrent mais sans résultat, et le sous-marin finit par disparaître derrière les coraux. La radio du *Helm* diffusa d'urgence ce message au quartier général : « Petit sous-marin japonais essayant d'entrer dans le chenal. »

D'un bout à l'autre de Pearl Harbour, les pavillons de signalisation annoncèrent la nouvelle. Sur la passerelle du *West Virginia* en flammes, l'enseigne Delano déchiffra le message et murmura : « Seigneur, ça aussi... »

Pendant que le *Helm* commençait à patrouiller devant l'entrée du port, le quartier-maître Handler observa quelques gros bombardiers américains tournant au-dessus du terrain de Hickam, et essayant de s'y poser. Des chasseurs japonais les attaquaient de tous côtés, mais les pilotes américains poursuivaient leur « approche » comme si tout cela leur paraissait parfaitement normal.

Les forteresses volantes, 12 appareils des groupes de reconnaissance 38 et 88, arrivaient des États-Unis. Le vol extrêmement long pour l'époque prenait quatorze heures. Afin de consommer moins d'essence, ils naviguaient individuellement et non en formation. De plus on les avait allégés au maximum, et enlevé notamment blindage et munitions.

Et malgré tout, quelques-unes des forteresses volantes n'arrivèrent que de justesse à Oahu. À bord de l'appareil du lieutenant Karl Barthelmes, l'un des membres de l'équipage avait actionné par accident une commande qui fit dériver l'avion vers le nord. Lorsque Barthelmes s'en aperçut, il mit cap plein sud, mais les réservoirs d'essence étaient presque vides. En approchant de Oahu vers 08 h. 00, la forteresse se trouva soudain entourée d'une douzaine de petits appareils marqués de grands cercles rouges. Ils volaient en dessus, en dessous et aux côtés du B-17 comme une escorte d'honneur. L'équipage laissa échapper un soupir de soulagement. Les hommes débouclèrent leurs ceintures, et firent de grands gestes amicaux, mais apparemment les pilotes des petits avions étaient trop préoccupés pour y répondre.

Au même instant, le major Landon volait également vers le sud. Il avait laissé l'un des membres de l'équipage s'entraîner à la navigation pendant la plus grande partie du trajet, et ils naviguaient cap à l'ouest à environ 250 kilomètres au nord de Oahu lorsque Landon se décida à prendre les commandes. Au moment où il obliquait vers le sud en vue des côtes de Hawaii, un groupe de neuf avions fonça droit sur lui, venant du nord. Pendant quelques instants, il crut, lui aussi, qu'il s'agissait d'une escorte d'honneur. Mais une rafale de mitrailleuse, la vue des cercles rouges lui révélèrent la vérité. Il grimpa au-dessus des nuages et échappa ainsi à ses poursuivants.

Pour la plupart des forteresses volantes, la surprise fut plus complète encore. Le major Richard Carmichael arriva au-dessus de la célèbre colline de Diamond Head et fit admirer le paysage à son camarade de promotion, le colonel Tadwell, un officier météo du groupe. En passant au-dessus de la plage de Waikiki, ils aperçurent de la fumée au-dessus de Pearl Harbour, mais pensèrent que la marine était en train de faire des manœuvres. Un grand nombre d'autres pilotes virent, eux aussi, la fumée et trouvèrent les explications les plus diverses : de la canne à sucre que l'on faisait brûler, des réjouissances populaires...

À proximité des terrains d'aviation, les traces du drame s'étalèrent sous leurs yeux. Voyant les files d'avions qui brûlaient à Hickam, le sergent Brawley se demanda si un chasseur américain s'était écrasé et avait ainsi mis le feu aux autres appareils. Le lieutenant Charles Bergdoll croyait toujours à un exercice, particulièrement réaliste, jusqu'au moment où il vit un bombardier B-24 qui brûlait le long de la piste. Il savait bien que l'armée ne s'amuserait jamais à détruire volontairement un appareil aussi coûteux.

Les avions demandaient maintenant les instructions d'atterrissage à la tour de contrôle. Une voix calme et sans expression leur indiqua la direction et la vitesse du vent, la piste sur laquelle ils devaient se poser.... De temps en temps, sans trace d'émotion apparente, la voix ajoutait que le terrain « subissait une attaque aérienne par des avions ennemis non identifiés ».

Le lieutenant Allen se posa le premier, suivi par le capitaine Raymond Swenson. Au moment où il effectuait son approche, une balle de mitrailleuse japonaise fit exploser dans le compartiment radio des fusées de magnésium, et l'avion fut bientôt en flammes. Il retomba lourdement sur la piste, la queue embrasée de l'avion se cassa et la moitié avant s'immobilisa. Machinalement, Ernest Reid, le second pilote de la forteresse volante, mit les freins. Tout l'équipage réussit à s'en sortir, sauf l'officier médecin du groupe, William Shick, qu'un « zéro » mitrailla au moment où il courait le long de la piste.

C'était maintenant au tour du major Landon de se poser. La même voix nasillarde dans la tour de contrôle lui ordonna d'« atterrir d'ouest en est », et ajouta laconiquement qu'il avait trois avions japonais derrière lui. Ainsi réconforté, il se posa sans incidents à 08 h. 20.

Dès que les avions s'immobilisaient, les hommes piquaient un cent-mètres vers les hangars situés du côté du terrain le plus proche de Honolulu. L'un des aviateurs, le lieutenant Homer Taylor, se retrouva dans un logement de militaires à l'abri de deux canapés renversés, en compagnie de la femme du maître de logis et de ses jeunes enfants. Chaque fois qu'un avion japonais s'approchait de la maison, le petit garçon essayait de sortir de sa cachette pour aller voir ce qui se passait, et Taylor l'attrapait par la jambe pour le ramener sous le canapé. Ce duel se poursuivit jusqu'à la fin de l'attaque.

On n'était en sécurité nulle part. La « ferme des serpents », la nouvelle brasserie pour sous-officiers et soldats, fit explosion dans un jaillissement de verre et de bois. On n'y retrouva intact qu'un disque de danse, qui devint plus tard l'air favori des « vétérans ».

Les pompiers de la base avaient mis leurs lances en batterie, mais se heurtaient naturellement à des obstacles presque insurmontables pour combattre l'incendie. Le bombardement détruisit les canalisations d'eau, puis la caserne des pompiers elle-même. Le chef d'équipe des pompiers eut la jambe emportée par une bombe d'avion. Un de ses hommes, blessé lui aussi, supplia un soldat qui passait de mettre un garrot sur la blessure de son chef. Le soldat exprima ses regrets, il n'avait pas de mouchoir...

Pendant ce temps-là, le commandant des pompiers dirigeait tranquillement le travail de ses hommes en mâchant une pomme. Bientôt, il fut légèrement blessé, puis plus sérieusement, mais il put se relever et continuer sa tâche. La troisième fois, il dut être évacué, mais sans cesser de mâchonner sa pomme.

Pas mal de pertes furent dues à la stupidité. Un adjudant-chef, dont l'esprit de discipline l'emportait sur l'intelligence, fit aligner ses hommes sur le terrain d'exercice à côté des grandes casernes. La cible était trop tentante : deux chasseurs « zéro » surgirent et mitraillèrent les hommes.

En fait, les « zéro » semblaient tout aussi attirés par les isolés que par les hommes en groupe. Un chasseur japonais s'attaqua à un réparateur de ligne télégraphique en haut d'un poteau, qui n'eut que le temps de se laisser glisser jusqu'à terre. Les pilotes japonais, dans ce petit jeu, négligèrent toutes les règles de la sécurité et volèrent incroyablement bas. L'un d'eux, passant au-dessus d'une piste d'accès de l'aérodrome, frôla l'asphalte de son hélice, et perdit ses réservoirs de secours, situés sous le fuselage. Il réussit cependant à reprendre de l'altitude, mais on ne sait s'il put regagner son porte-avions ou s'il alla s'écraser contre une colline voisine ou se perdre dans la mer.

Au même instant, les bombardiers en piqué attaquaient les hangars, et la plupart des hommes cherchaient désespérément à quitter les lieux. En compagnie de deux camarades, le caporal John Sherwood, un tout petit homme, fit un cent-mètres sensationnel, en caleçon, vers la cantine de la base. Le sergent Wilbur Hint se souvient encore de s'être demandé comment un si petit homme pouvait courir si vite. Sherwood affirme aujourd'hui qu'il n'a pas couru, mais reconnaît qu'il a dû dépasser une centaine d'hommes qui couraient.

Une fois à l'abri, Sherwood vit un adjudant-chef à bicyclette, pédalant furieusement, tout en déchargeant vers le ciel un pistolet réglementaire. Il avait tout à fait l'air d'un cow-boy. L'atmosphère devait d'ailleurs évoquer un « western », car, près des maisons d'habitation des militaires mariés, une bande de gosses sautaient en l'air en hurlant : « Voilà les Indiens... »

Peu à peu, la fureur remplaça la peur. Un blessé, devant le hangar 15, agitait le poing dans un accès de rage impuissante. Le sergent George Geiger voulait une arme, n'importe laquelle. Il finit par trouver un étui à revolver, mais sans revolver, qu'il donna à un de ses camarades, qui avait un revolver, mais pas d'étui.

Quelques armes automatiques firent finalement leur apparition. Le sergent-chef Doyle King, abrité derrière une camionnette de piste, tira sur les avions avec une mitraillette Thomson. Le sergent Wilbur Hunt mit une mitrailleuse de 12,50 en batterie dans des entonnoirs de bombes près des casernements. Il trouva des auxiliaires inattendus parmi les punis, la salle de police ayant été détruite. Les prisonniers annoncèrent à Hunt qu'ils étaient prêts à se mettre au travail. Hunt n'en fut nullement étonné. Il avait toujours pensé que les mauvaises têtes faisaient d'excellents soldats en cas de coup dur.

Le terrain de Wheeler eut, comme celui de Hickam, ses prisonniers héroïques. Tous furent libérés au début de l'attaque, et deux d'entre eux s'installèrent avec une mitrailleuse sur le toit. Aux casernes principales, les soldats défoncèrent les portes de l'armurerie et mirent trois canons en batterie devant la porte de derrière. Le soldat de première classe Arthur Fusco aida à installer une mitrailleuse devant un hangar. Comme on ne pouvait tirer à cause de la fumée qui obscurcissait totalement l'horizon, il alla s'abriter dans le bureau du hangar. Tout à coup, à son grand étonnement, le téléphone sonna. Machinalement, il décrocha. La femme d'un sous-officier demandait ce que c'était que tout ce bruit.

La plupart des hommes ne savaient ni ce qu'ils devaient faire, ni où ils devaient aller. Le soldat de première classe Caroll Andrews avait, lui, par contre, un objectif précis. Sur les conseils d'un sergent, il voulait gagner Shofield. Accompagné par un camarade, il profita des accalmies entre les attaques aériennes, et arriva jusqu'à une maison vide, où il s'abrita dans la cuisine. Des balles réduisirent l'évier en miettes, faisant jaillir de tous côtés des éclats de porcelaine.

Ils reprirent leur course, et furent arrêtés par un soldat, qui avait vu Andrews jouer de l'orgue à la chapelle de la base pendant la messe. Il demanda à Andrews de l'aider à faire son acte de contrition, expliquant qu'il ne s'était pas confessé depuis des années, et qu'il était grand temps qu'il fasse sa paix avec le Seigneur. Andrews s'arrêta, et répéta avec lui les paroles sacrées.

Ils repartirent à toutes jambes. Bientôt une femme

philippine, ayant dans les bras un nouveau-né, qui, elle aussi, avait vu Andrews à l'église, le supplia de baptiser son enfant. Légèrement exaspéré, il lui demanda pourquoi elle ne le faisait pas elle-même. Elle répondit qu'elle ne savait pas comment s'y prendre. Ils rentrèrent à nouveau dans une maison vide, où Andrews, après avoir en vain tourné les robinets, trouva une carafe d'eau et baptisa le bébé. La mère éclata en sanglots et s'enfuit.

Ils arrivèrent à Shofield vers 08 h. 30. C'était évidemment à cette heure-là une idée bizarre que de venir y chercher la sécurité. Les avions japonais avaient disparu — ils en avaient terminé avec le secteur à 08 h. 17 — mais une extraordinaire confusion régnait partout. Les diverses unités de D.C.A. s'efforçaient de gagner les positions qui leur avaient été assignées, mais ce n'était pas facile. La batterie B du 98e régiment d'artillerie côtière n'obtint de camions pour remorquer ses canons vers le terrain de Wheeler qu'après la fin de l'attaque. On finit par leur fournir les bandes de mitrailleuses, mais elles étaient si vieilles, type 1918, qu'elles se rompaient dans le chargeur.

À Wahiawa, une petite ville proche de Shofield et de Wheeler, M. et Mme Paul Young, un couple d'origine coréenne, qui tenaient une petite blanchisserie, tendaient l'oreille au fracas des explosions. Ils avaient joué au mah-jong jusque tard dans la nuit, et M. Young voulait absolument faire la grasse matinée. Mais sa femme ne put résister à la curiosité. Elle partit aux nouvelles au poste de garde de l'entrée de Wheeler. La sentinelle lui déclara froidement : « Rentrez chez vous. Vous ne savez donc pas qu'il y a la guerre !... »

Mme Young regagna sa maison à toute vitesse et alerta les voisins au passage. M. Young et son frère Sung Do Kim finirent quand même par se lever pour regarder le spectacle. Tout à coup ils virent un avion longeant la route venant de Pearl Harbour, et cherchant visiblement quelque chose à mitrailler. Tous s'abritèrent, à l'exception de leur vieux domestique chinois. Il resta où il était, roulant nonchalamment une cigarette. La mitrailleuse de l'avion l'atteignit avant qu'il n'ait eu le temps de la porter à sa bouche.

Ils traînèrent le vieillard à l'intérieur, et Mme Young le gronda comme un enfant, et lui demanda pourquoi il ne les avait pas suivis. Il fit signe qu'il ne pouvait parler, tant il avait mal.

Dans le ciel, un combat singulier venait de s'engager. Des balles perdues sifflèrent dans la maison ; l'une d'elles brisa une vitre, une autre érafla la machine à laver ; une troisième perça la porte derrière laquelle Mme Young jetait sur la scène des regards apeurés. La famille se réfugia sous la grande table à repasser de la blanchisserie. Un fracas assourdissant retentit soudain à proximité. Un avion japonais, arrachant au passage la cime de l'eucalyptus dans leur cour, venait de s'écraser dans une plantation d'ananas à côté de la maison. Le chasseur américain qui l'avait abattu disparut derrière les montagnes. Mme Young ne pouvait évidemment le savoir, mais les lieutenants Welch et Taylor avaient réussi à gagner Haleiwa, décoller dans leurs Curtiss P-40, et s'étaient mis à l'ouvrage.

Il se passait d'ailleurs bien des choses sur le terrain de Haleiwa, à une douzaine de kilomètres de la maison des Young. Deux forteresses volantes tournaient au-dessus de la piste. C'étaient les appareils du capitaine Chaffin et du major Carmichael, qui avaient renoncé successivement à se poser au milieu des décombres des terrains de Hickam, Wheeler et Ewa, et avaient finalement choisi Haleiwa, dont les Japonais semblaient encore ignorer l'existence. La piste mesurait moins de quatre cents mètres — bien peu pour une forteresse volante — mais leurs réservoirs d'essence étaient à peu près vides, et ils n'avaient pas le choix. Ils réussirent des atterrissages parfaits, et allèrent se garer le plus près possible d'un bouquet d'arbres, mais c'était déjà trop tard. Un « zéro » les avait aperçus, et descendit voir ce qui se passait. Quelqu'un hurla un avertissement, et Carmichael et son passager le colonel Twadell se précipitèrent à l'abri d'un rocher sur la plage même. Le « zéro » était probablement à court de munitions. Il se contenta de lâcher une rafale de principe et s'en alla. Les deux officiers qui avaient échappé aux balles japonaises ne purent éviter les vagues du Pacifique, qui les trempèrent des pieds à la tête, mettant même hors d'usage la montre de Carmichael.

À la base aéronavale de Kaneohe, au sud-est de l'île, l'armurier Homer Bisbee perdit, lui aussi, sa montre mais d'une manière encore plus curieuse. Sautant à l'eau pour échapper aux mitrailleuses japonaises près de la rampe de lancement des hydravions, il s'aperçut qu'il avait gardé sa nouvelle montre-bracelet. Il commença par tenir le bras gauche en l'air. Puis il plaça sa montre à l'intérieur de son bonnet blanc de matelot qu'il posa sur la rampe. Lorsqu'il ressortit de l'eau quelques minutes plus tard, il retrouva bien le bonnet, mais pas la montre.

Il faut dire que cette rampe était le centre même de l'enfer déchaîné sur la base. À plusieurs reprises, les bombardiers en piqué attaquèrent à la mitrailleuse les 26 hydravions amphibies PBY alignés sur le terrain et les quatre ancrés dans la baie. Plusieurs vedettes servant au va-et-vient du personnel furent également percées de balles. Seule une mitrailleuse américaine avait pu être mise en service, dans un stand de tir près de la rampe. Le maître-armurier John Finn continua à tirer sur les avions japonais, quoique blessé au talon, sous la pluie d'essence enflammée provenant des décombres des hydravions.

Les pilotes et les mécaniciens firent de leur mieux pour sauver du désastre ce qui pouvait l'être. L'enseigne Malwein s'empara d'un tracteur, et, avec deux camarades, essaya de remorquer un appareil qui ne brûlait pas encore. Mais un chasseur japonais surgit, et bientôt l'une des ailes de l'hydravion était transformée en brasier.

Un autre « zéro » abattit le mécanicien Robert Ballou qui courait le long de la rampe, armé d'un fusil. Deux de ses camarades le mirent sur un brancard et l'emmenèrent en direction d'un camion qui servait d'ambulance. Mais ils furent immédiatement repérés. Étendu sur le dos, Ballou vit les traceuses passer au-dessus de lui, et se rendit compte que ses camarades avaient posé le brancard par terre et détalaient. Il sauta sur ses jambes et les dépassa tous deux.

Vers 08 h. 15, les avions japonais disparurent vers le nord. Un silence angoissé succéda au tumulte de l'attaque. Il n'y avait pas eu encore de bombardement, et chacun sentait que cela ne saurait tarder. Et en effet à 08 h. 30, neuf bombardiers apparurent en formation serrée. Sous l'impact des bombes, poussière, morceaux de métal, de ciment, de verre, volèrent dans toutes les directions. Puis un nouveau groupe de bombardiers surgit, mais garda ses bombes pour un objectif plus intéressant. Les deux nouveaux hangars de Kaneohe étaient déjà complètement détruits.

Et à la même heure, tout était encore parfaitement calme au terrain de Bellows, la base de chasse de l'armée, qui ne se trouvait qu'à une dizaine de kilomètres plus au sud, le long de la côte. L'officier de jour, le capitaine Joyce, était en train de se raser au club des officiers peu avant 08 h. 30, lorsqu'un chasseur japonais isolé passa en rase-mottes, tirant une cinquantaine de coups, et blessant un infirmier dans son lit. Un messager partit prévenir le major Waddington, commandant de la base, qui vivait à 1 500 mètres de là, mais cet incident, cependant assez surprenant, ne provoqua guère d'émotion. Il n'empêcha pas, en tout cas, le soldat Mac Briarty d'aller à l'église comme tous les dimanches à 08 h. 30. Ce qui venait de se passer ne l'avait pas plus frappé que ses camarades, mais, une fois assis à son banc dans l'église, il commença à réfléchir.

Pilotée par le lieutenant Robert Richards, qui avait, lui aussi, renoncé à se poser à Hickam, une forteresse volante se préparait à atterrir sur la piste de Bellows, longue seulement de huit cents mètres. L'avion endommagé par les chasseurs japonais, et à court d'essence, avait trois blessés à bord. Il décida de tenter sa chance, et de risquer un atterrissage vent arrière.

C'est à ce moment-là que Hickam se décida enfin à prévenir Bellows de l'attaque. Le major Waddington arriva au galop pour préparer les défenses de la base, et, à peu près en même temps, neuf avions japonais, attirés sans doute par la forteresse de Richards, attaquèrent le terrain.

D'autres avions ennemis survolaient Ewa, la base aérienne des « Marines » à l'ouest de Pearl Harbour. Il n'y avait là ni D.C.A. ni avions en état de prendre l'air, donc aucune possibilité de réagir. Le lieutenant-colonel Larkin, commandant de la base, regarda arriver les Japonais à plat ventre sous un camion, et ses hommes étaient tout aussi impuissants.

Au-dessus de leurs têtes, le lieutenant Yoshio Shiga fonçait sur Ewa à bord de son « zéro ». Il remarqua un « Marine » debout à côté d'un vieil avion, et fit feu sur lui de toutes ses mitrailleuses. L'Américain refusa de bouger, et tira au pistolet.

Shiga le considère encore aujourd'hui comme l'Américain le plus brave qu'il ait jamais rencontré.

Les forteresses volantes l'impressionnèrent également. Il vit l'un des gros bombardiers américains disperser l'essaim des « zéro » et se poser tant bien que mal à Hickam, et il pensa que, dans cette guerre qui venait de s'engager, les forteresses constitueraient des adversaires redoutables.

Mais c'est sans doute la D.C.A., commençant à se réveiller, qui causa la surprise la plus désagréable aux assaillants. Le commandant Fuchida, en guidant vers « l'allée des cuirassés » ses cinquante bombardiers alignés l'un derrière l'autre, eut l'impression pénible qu'ils devaient évoquer un vol de canards sauvages guettés par le chasseur. Si c'était à refaire, pensa-t-il, on s'y prendrait autrement.

Une discipline absolue était indispensable. Aussi Fuchida piqua-t-il une rage folle quand il vit le troisième avion de sa formation quitter sa place prématurément et lâcher ses bombes. Ce pilote n'avait du reste pas bonne réputation. Fuchida griffonna : « Qu'est-ce qui s'est passé ? » sur une ardoise, qu'il brandit en direction du coupable. Le pilote fit signe que son avion avait été touché, et que la commande de largage des bombes était démolie. Fuchida se sentit plein de remords.

Les Japonais poursuivirent leur vol. C'était le *Nevada* qui constituait leur objectif particulier, et tout le monde attendait que l'avion de tête lâche ses bombes. Mais il ne put le faire, car, au moment crucial, des nuages cachèrent l'objectif et ils durent effectuer un second passage. À présent, il y avait trop de fumée au-dessus du *Maryland* et Fuchida décida en conséquence de s'attaquer plutôt au *Maryland*. Cette fois, tout se passa bien. L'avion de tête lâcha ses bombes, imité par les autres appareils de la formation. Fuchida descendit observer les résultats, et constata qu'il y avait deux coups au but.

Le lieutenant Toshio Hashimoto, qui dirigeait l'un des derniers groupes, eut plus de difficultés encore. Le remous des hélices des avions qui le précédaient dispersait sans cesse sa formation. Puis le bombardier de l'avion de tête se trompa dans ses calculs et signala aux autres de ne pas larguer encore leurs bombes. Au moment où ils faisaient demi-tour pour effectuer une nouvelle tentative, le sergent bombardier Umezawa, responsable de l'erreur, exprima ses humbles excuses en s'inclinant devant son lieutenant.

Il y eut un certain nombre d'autres erreurs, celles-là non imputables aux exécutants. La carte dont disposaient les Japonais datait de 1933, et les efforts faits pour la mettre à jour n'avaient pas été heureux. Ainsi la carte indiquait huit groupes de hangars neufs à Hickam, alors qu'il n'y en avait en fait que cinq, et plaçait les réservoirs d'essence souterrains là où se trouvait le terrain de base-ball. De même la carte confondait le centre administratif, qui fut ainsi épargné, avec le club des officiers. L'erreur était due au fait qu'un certain nombre de bals y avaient été donnés à l'époque où on construisait le bâtiment définitif. Apparemment, en dépit des succès enregistrés dans d'autres domaines par les espions japonais, ils n'avaient pas réussi à se faire inviter aux bals de Hickam.

Mais dans l'ensemble, Fuchida avait toutes raisons de s'estimer satisfait. Lorsque la première vague eut terminé sa tâche vers 08 h. 30, il pouvait comparer les dégâts infligés aux Américains avec ses propres pertes : cinq avions-torpilleurs, un bombardier en piqué, trois chasseurs.

À bord de l'*Akagi*, qui croisait à 200 milles au nord de Oahu, l'amiral Nagumo était tenu au courant minute par minute par de brefs messages-radios des résultats acquis ; 08 h. 05 : torpilles lâchées avec succès ; 08 h. 10 : trente avions américains endommagés, vingt-trois incendiés ; 08 h. 16 : grand croiseur touché ; 08 h. 22 : cuirassé touché...

À nouveau, une joie délirante régna dans l'escadre nippone. Dans la salle des machines de l'*Akagi*, les mécaniciens du capitaine Tanbo s'embrassèrent en apprenant les nouvelles, et, sur le pont, le matelot Iki Kuramoti poussa des hurlements d'enthousiasme. Mais l'officier de navigation du *Shokaku*, le capitaine Hoichiro Tsukamoto, vivait dans la hantise des avions américains. Il savait à quel point les porte-avions constituaient des cibles faciles. Mais il ignorait la faiblesse des moyens dont disposaient les Américains.

Installé dans la salle des opérations du navire-amiral *Nagato* dans le port de Kure, l'amiral Yamamoto attendait lui aussi, avec impatience, les résultats. À mesure qu'ils arrivaient, une fièvre grandissante saisissait ses officiers, mais lui-même demeurait impassible. On intercepta un message américain qui faisait mention de bâtiments japonais opérant à l'intérieur de Pearl Harbour. « Excellent, s'écria le contre-amiral Matome Ugaki. Cela signifie que nos sous-marins de poche ont réussi à passer. » Yamamoto se contenta d'incliner la tête. Il jugeait toujours que l'emploi des sous-marins de poche avait constitué une erreur, que l'on n'aurait pas dû sacrifier ainsi des hommes dès le premier jour de la guerre.

Il avait peut-être raison. En tout cas, l'enseigne de vaisseau Sakamaki n'arrivait toujours à rien. Il tenta une nouvelle fois de pénétrer dans le port, et s'approcha si près d'un contre-torpilleur américain en patrouille qu'il put voir les uniformes blancs de l'équipage. Les Américains l'aperçurent eux aussi, car plusieurs grenades anti-sous-marines secouèrent durement le minuscule bâtiment. L'une d'elles assomma à moitié Sakamaki, et remplit de vapeurs d'essence et d'une légère fumée blanche l'intérieur du sous-marin. Lorsque Sakamaki eut repris ses esprits, il constata avec soulagement qu'il n'y avait pas de dégâts graves. Selon lui, il aurait alors tenté à trois reprises de pénétrer dans le port en chargeant et en grenadant des contre-torpilleurs américains, avant de s'échouer pendant quelques instants sur un banc de corail juste en dehors de l'entrée de Pearl Harbour.

Cependant les témoignages et les archives des Américains ne révèlent aucun engagement de ce genre. Entre le contact établi par le *Ward* à 06 h. 45 et le moment où le *Helm* aperçut le sous-marin sur les coraux à 08 h. 17, il n'est question qu'une seule fois de sous-marin : c'est le contact au son du *Ward* à 07 h. 03.

À vrai dire, les confusions ou les erreurs de Sakamaki sont très excusables. À l'intérieur du sous-marin, l'air se faisait de plus en plus irrespirable, les batteries dégageaient des vapeurs acides, la fumée s'épaississait. Il y a en tout cas un point sur lequel il ne s'est pas trompé : dirigeant son périscope vers Pearl Harbour, il vit des colonnes de fumée noire qui s'élevaient vers le ciel. « Regardez, regardez ! » cria-t-il. Le matelot Inagaki fut fou de joie. « Quelle fumée ! » cria-t-il, lui aussi. Les deux hommes s'étreignirent, et échangèrent un serment solennel : « Nous en ferons autant », se jurèrent-ils.

IX

08 heures 30 — 09 heures 45

C'est le *Breese* qui le vit le premier. Au mouillage devant Pearl City, le vieux contre-torpilleur mouilleur de mines aperçut peu après 08 h. 30 un kiosque de sous-marin à l'ouest de l'île Ford. Le *Medusa* et le *Curtiss* l'aperçurent quelques minutes plus tard, et les trois bâtiments hissèrent immédiatement les pavillons annonçant la nouvelle.

Le *Monaghan* eut connaissance sans délai de l'avertissement. Premier bâtiment à faire mouvement, le contre-torpilleur descendait le long du chenal ouest, quand un matelot se présenta au capitaine de frégate Bill Burford : « Commandant, le *Curtiss* a signalé par pavillons sous-marins à tribord. »

Burford répondit qu'il s'agissait sans doute d'une erreur, fort explicable étant donné la confusion qui régnait dans le port.

« Bien, commandant. Mais alors qu'est-ce que c'est que cet objet juste devant nous, qui ressemble à un fusil de chasse renversé ? »

Et en effet, à travers la fumée, Burford aperçut, à son grand étonnement, un petit sous-marin naviguant en surface, à quelques centaines de mètres à l'avant de son navire. Il portait à l'avant deux tubes lance-torpilles superposés, qui paraissaient viser directement le *Monaghan*.

En quelques secondes les trois bâtiments commencèrent à tirer. Un obus du *Curtiss* passa directement à travers le kiosque, décapitant le pilote, selon ses canonniers, arrachant simplement les boutons de sa tunique, selon les hommes du *Monaghan*. Le *Medusa* avait également ouvert le feu, mais, au moment crucial, le monte-charge des gargousses du canon qui avait la meilleure visée se détraqua. Quant au *Monaghan*, il tira trop long et atteignit un mât de charge sur le rivage. Une des torpilles rata le *Curtiss* et l'autre, passant le long du *Monaghan*, alla exploser sur la plage de l'île Ford. À toute vapeur, le *Monaghan* fonça sur le sous-marin, tandis que les deux autres bâtiments suspendaient leur tir. Le *Monaghan* frôla le kiosque avec suffisamment de force pour faire rebondir le sous-marin contre le flanc du contre-torpilleur. Le premier-maître torpilleur Harside régla ses grenades anti-sous-marines pour une portée de dix mètres et les lâcha. Elles explosèrent avec une force énorme, détruisant complètement le sous-marin et renversant tous les hommes qui se trouvaient sur le pont du navire américain. Celui-ci, emporté par son élan, n'eut pas le temps de changer de cap pour prendre le chenal principal vers la sortie du port, et alla s'échouer à Beckoning Point, juste contre le mât de charge que ses canons venaient d'incendier. Le pompier Creighton se précipita sur une lance à incendie, d'autres hommes dégagèrent l'ancre à toute vitesse. Burford fit machine arrière, tourna et fonça vers la haute mer sous les acclamations des équipages des navires voisins.

Une fièvre extraordinaire régnait dans le port. Trois hommes à bord d'une vedette à l'extrémité de l'île Ford embarquaient des obus de trente et de cinquante comme ils auraient chargé des carottes. Une bombe frappa un chariot à glaces et à gâteaux sur le dock 1010, et des hommes de l'*Helena* coururent à terre pour se servir gratuitement. À bord du *Whit-*

ney, des marins abandonnaient leur poste de combat normal, pour tirer à la mitrailleuse chacun à leur tour, comme à la foire. Lorsqu'un des canons du « Blue » descendit un avion japonais, tout l'équipage se mit à danser et à échanger des poignées de main.

Les servants des canons étaient saisis d'une étrange excitation. N'ayant jamais eu aucune expérience de la guerre, ils la commentaient en termes de football. Lorsque le *Honolulu* et le *Saint Louis* abattirent un avion, les acclamations rappelèrent au mécanicien Robert White celles qui saluaient un coup heureux dans le match traditionnel armée contre marine. Du reste, lorsque les artilleurs du corps des « Marines » de l'*Helena* descendirent à leur tour un avion, le capitaine Bob English cria du haut du pont : « L'équipe des "Marines" marque un but ! »

Cette atmosphère donnait aux hommes des forces décuplées. Woodrow Bailey, un matelot du *Tennessee*, coupa d'un seul coup une haussière de dix pouces d'épaisseur. Le chef de pièce Alvin Gerth effectua avec deux hommes le travail normalement accompli par quinze, à l'un des canons de cinq pouces du *Pennsylvania.* Kenneth Carlson escalada les échelles verticales du Selfridge portant une bande de mitrailleuses de cinquante suspendue autour de chaque épaule. Chacune d'elles pesait près de quarante kilos, et, normalement, il ne pouvait en porter qu'une seule. Un homme du *Phelps* redressa de ses mains nues un canon de fusil faussé, sans même s'apercevoir qu'il était brûlant.

Il y eut cependant des cas moins heureux. Un vieil officier marinier du *Saint Louis* exécuta un véritable gag de cinéma en sciant lui-même l'échafaudage sur lequel il se tenait pour dégager le mât du navire des gréements qui l'entouraient. Les canonniers de l'*Argonne* abattirent leur propre antenne, faillirent abattre le sémaphore de la 14ᵉ région navale, et endommagèrent la cheminée de la centrale électrique, à moins que ceux de l'*Helena* ou du *Nevada* ne soient responsables de ce dernier coup. D'autres obus partirent en direction de Honolulu.

Personne ne s'en souciait, car à ce moment-là il fallait à tout prix continuer à tirer. Les canons de cinq pouces du *Tennessee* tiraient si vite que la peinture fondait en longues traînées sur les tubes chauffés à blanc.

Sur le *Pennsylvania*, le maître-canonnier Milard Rucoi enfournait fiévreusement ses obus, lorsqu'un servant du canon voisin sembla dessiner dans l'air une silhouette féminine. Rucoi n'avait pas l'esprit à la bagatelle, et le vacarme rendait impossible toute explication, il se contenta de tendre le poing en direction de ce frivole canonnier, et continua à alimenter sa pièce. Finalement, l'homme vint à lui, et lui demanda de venir voir son canon, auquel la chaleur imprimait des courbes gracieuses. Il lui demanda s'il fallait continuer à tirer. Rucoi répondit : « Et comment ! »

Au dock 1010, des remorqueurs éloignèrent l'*Oglala*, qui était en train de couler, de l'*Helena*. Au moment où on larguait les amarres entre les deux bâtiments, l'amiral Furlong apparut sur le pont de l'*Oglala*, et se trouva ainsi dans la ligne de tir d'un canon de cinq pouces de l'*Helena*. Un très jeune quartier-maître sortit la tête de la tourelle, et cria : « Pardon, amiral. Vous voulez bien vous enlever de là, pour que nous puissions tirer. »

On comprend donc que le capitaine de corvette Shigekazu Shimazaki fut chaudement accueilli lorsqu'il arriva avec la seconde vague d'avions japonais à 08 h. 40. Il n'y avait pas d'avions-torpilleurs cette fois, mais 54 bombardiers, 80 bombardiers en piqué et 36 chasseurs. Les bombardiers devaient concentrer leur attaque sur les bases de Hickam et de Kaneohe, tandis que les bombardiers en piqué attaqueraient Pearl Harbour, recherchant les objectifs qui n'avaient pas encore été atteints.

Les canons de 1,1 du *Maryland* et de l'*Helena*, qui venaient d'être montés, entrèrent immédiatement en action et abattirent en quelques minutes trois avions. À bord du *Castor*, le quartier-maître William Miller écouta avec intérêt tirer les nouveaux canons. Ils n'aboyaient pas comme les canons de trois pouces, la détonation n'était pas assourdissante comme celle des canons de cinq pouces : on entendait simplement une espèce de « pom-pom » voilé et continu, qui avait quelque chose de rassurant. Sur le *West Virginia*, l'enseigne Jacoby se sentait plus surpris que rassuré : à l'entraînement ces canons ne cessaient de s'enrayer. Mais ce matin-là, ils marchaient parfaitement.

Un bombardier en piqué s'écrasa près de l'île Ford, juste en face du dock utilisé d'ordinaire par le *Tangier*... un autre dans le chenal principal près du *Nevada*, un autre devant Pearl City, non loin du mouilleur de mines *Montgomery*. Le premier-maître mécanicien Harry Haws envoya le matelot Calkins sur les lieux, à bord de la baleinière du navire. Le pilote était assis sur l'aile de l'avion, mais refusa d'être secouru. Lorsque la baleinière s'approcha de l'épave, il tira son revolver, mais Calkins ne lui laissa pas le temps de s'en servir, et fit feu le premier.

Dans leur rage et leur excitation, les Américains tiraient sur tout ce qui volait. Les forteresses volantes en avaient déjà fait l'expérience en arrivant sur Hickam. Dix-huit avions américains partis du porte-avions *Enterprise* pour une mission normale de reconnaissance, et qui devaient se poser à l'île Ford, purent également le constater à leurs dépens.

L'*Enterprise* qui, on s'en souvient, revenait de l'île Wake dont il avait renforcé la garnison, aurait dû rentrer à Pearl Harbour à 07 h. 30 ce matin-là. Mais de fortes houles avaient retardé le ravitaillement en combustible de ses contre-torpilleurs d'escorte, et à 06 h. 15, le porte-avions se trouvait encore à 200 milles à l'ouest de Oahu. Aussi la patrouille aérienne de reconnaissance décolla-t-elle comme tous les matins du pont du porte-avions. Elle comprenait treize appareils de la 6e flottille de reconnaissance, six de la flottille de bombardement et un avion de reconnaissance supplémentaire. Ils devaient balayer un secteur à 180° autour de l'*Enterprise* et atterrir ensuite à l'île Ford. Cette mission enchantait l'enseigne Cleo Dobson, et les autres pilotes mariés. Ils n'auraient pas le droit de rejoindre leurs femmes avant l'arrivée du porte-avions, mais pourraient au moins leur téléphoner.

Il devait être environ 08 h. 00 du matin quand les pilotes entendirent sur la longueur d'ondes qui leur était dévolue l'enseigne Manuel Gonzalez crier : « Ne tirez pas. C'est un avion ami ! » Il disparut totalement avec son appareil.

La patrouille commandée par le lieutenant de vaisseau Patriarca l'avait entraîné au nord de l'île de Kaui, et elle mit le cap sur Oahu après 08 h. 00. Patriarca aperçut alors assez loin des avions faisant route vers le nord, et crut qu'il s'agissait de manœuvres de l'armée. En arrivant au-dessus de Oahu, il apprit ce qui se passait et mit le cap vers la haute mer, répétant dans le micro : « White 16 (l'indicatif de l'*Enterprise*). Attaque aérienne sur Pearl Harbour... N'accusez pas réception. » Il ne put retrouver le porte-avions, qui observait naturellement le silence radio et avait changé de cap. À court d'essence, Patriarca se posa sur le ventre dans un champ de l'île de Kaui.

L'avertissement vint trop tard pour quelques-uns des pilotes américains. Les chasseurs japonais abattirent les appareils des enseignes Mac Carthy, John Vogt et Walter Willis. Seul Mac Carthy survécut. La D.C.A. des navires américains descendit l'appareil de l'enseigne Edward Deacon qui tomba en mer. Cependant le pilote et son mitrailleur de queue furent sauvés. Un « zéro » descendit l'avion du lieutenant Dickinson. Son mitrailleur fut tué mais lui-même put sauter en parachute près du terrain d'Ewa. Il gagna la route principale, espérant trouver une voiture pour le ramener vers Pearl Harbour.

Les autres pilotes arrivèrent, tant bien que mal, jusqu'à Ewa ou l'île Ford. Le lieutenant Earl Gallagher survola Pearl Harbour vers 08 h. 35, renonça à se poser à proximité et se dirigea vers Ewa, ainsi que l'enseigne Dobson. Dès qu'ils eurent atterri, un « Marine » se précipita vers eux en criant : « Pour l'amour du ciel, décollez immédiatement, ou ils vont vous démolir au sol comme les autres ! » Ils reprirent l'air, tournèrent en rond pendant quelques minutes, et finalement se dirigèrent vers l'île Ford qui semblait jouir d'un répit temporaire.

Mais à l'instant où Dobson sortit son train d'atterrissage, toute l'artillerie américaine parut se concentrer sur son avion. Les traçantes se dirigeaient droit vers lui, et un obus de 1,1 éclata juste sous aile, manquant de le projeter dans une vrille. Il abaissa son siège, tenta de s'abriter derrière le capot et visa la piste. Il atterrit à une vitesse folle, s'arrêtant en bout de piste juste devant un fossé.

À l'île Ford, la stupéfaction avait fait place à la résolution. Des hommes traînaient des avions endommagés loin des hangars en flammes. D'autres récupéraient des fusils et creusaient des tranchées. Quelques-uns se rassemblaient autour des survivants de « l'allée des cuirassés » qui émergeaient de l'eau, noire d'huile. Beaucoup d'entre eux nageaient vers le dock des carburants, où la plage descendait en pente douce. Le premier-maître Albert Molter hissa sur la plage un jeune enseigne de vaisseau de grande taille, encore muni de ses jumelles, qui venait de s'évanouir. Il vit alors un homme qui ne nageait que d'un bras, et crut qu'il soutenait un camarade. Il lui cria qu'il avait pied à cet endroit-là. L'homme bredouilla ses remerciements et se redressa. Il portait sous le bras un énorme jambon.

Un certain nombre de blessés furent évacués vers les courts de tennis, où l'on avait installé une station de secours, d'autres vers la cantine, où on les étendit sur les tables où traînait encore la vaisselle du petit déjeuner. On évacua les plus gravement atteints en autocar vers le dispensaire de l'île. Quatre marins de couleur, tous grièvement blessés, refusèrent que qui que ce soit les touche ou les aide d'une manière quelconque. Ils restèrent ensemble dans l'autocar, s'assistant mutuellement jusqu'au bout.

Bientôt, il n'y eut plus de places à l'intérieur du dispensaire, et l'on dut installer les blessés trempés et informes dans la cour. Une toute jeune fille s'efforçait de recueillir leurs noms, mais elle n'avait pas le courage de les regarder.

Les familles des militaires habitant l'île ouvrirent généreusement leurs garde-manger et leurs garde-robes. Un matelot se retrouva vêtu d'un maillot de corps, d'une redingote et d'un bicorne de grande tenue d'amiral. La femme de l'amiral Bellinger avait, comme les autres « bons Samaritains », vidé la cantine de son mari.

Devant Fort Island, une flottille hétéroclite, s'efforçant d'éviter les salves des chasseurs japonais, fonçait à travers les nappes de pétrole enflammé pour secourir les survivants. Le second-maître timonier Gustchen manœuvrait la vedette de l'amiral Leary avec autant de style que si l'amiral lui-même s'était trouvé à bord. Un bateau-citerne, chargé normalement d'approvisionner en eau les bâtiments de guerre, s'efforça de racheter un passé quelque peu chargé. Son équipage avait en effet l'habitude d'augmenter les rations d'eau, en échange de quelques douceurs, une belle dinde par exemple pour quelques milliers de litres d'eau douce. Au moment même de l'attaque japonaise, il y avait une dinde dans le garde-manger, provenant du *Curtiss*. Mais personne ne pensait plus au déjeuner du dimanche.

Quelques marins, craignant d'être oubliés, poussaient des cris affreux. Un autre, monté à bord d'une des embarcations, essaya d'aider ses camarades. Ce n'était pas facile, car il avait perdu un bras. L'enseigne Maurice Featherman, du *West Virginia*, étendu, épuisé, sur le pont d'un remorqueur, semblait indifférent à tout. Un de ses camarades de bord, l'enseigne John Armstrong, arriva soudain, vêtu d'une tenue blanche immaculée, comme s'il venait d'assister à une prise d'armes. Il s'agenouilla près de son ami, et s'efforça de le remonter : « Mon vieux, lui dit-il, nous sommes en train de vivre un moment historique, et tout ce que nous faisons peut changer le sort du monde... »

Peu d'hommes exprimaient des sentiments de ce genre, mais il y en avait de plus en plus qui agissaient comme s'ils les avaient ressentis.

L'opérateur-radio Thomas Reeves demeura seul dans une coursive en flammes du *California*, passant des munitions à la main jusqu'à ce qu'il tombe évanoui et meure. À 08 h. 25, le cuirassé avait reçu un coup fatal, et l'incendie faisait rage dans le second entrepont. Grièvement blessé, l'enseigne Herbert Jones voyait les flammes s'approcher, et expliquait calmement à deux de ses camarades qu'il était perdu, et qu'ils devaient le laisser là.

Sur la passerelle du pétrolier *Neosho*, qui se trouvait entre le *California* et les autres cuirassés, le commandant John Philips se préparait à faire sortir son navire de ce secteur. À 08 h. 55, quelques hommes de l'équipage du *Neosho* aidèrent le personnel de la base de l'aéronavale à couper les amarres, et, lentement, le pétrolier gagna le dépôt des carburants de l'autre côté du chenal.

À vrai dire, le *Neosho* n'intéressait guère les Japonais. Un chasseur s'arrêta même de tirer lorsqu'il eut le pétrolier dans son collimateur. Une telle cible ne valait pas que l'on gâchât des munitions. Le pilote japonais aurait peut-être changé d'avis s'il avait su que les soutes du *Neosho* étaient encore à demi remplies d'essence d'avion.

Un peu plus loin gisait l'épave de l'*Oklahoma*, la quille en l'air. Les survivants du cuirassé n'avaient pas cependant renoncé au combat. Le sergent Thomas Hailey, qui appartenait à son détachement embarqué de « Marines », avait gagné l'île Ford, et s'était porté volontaire pour effectuer une mission à bord d'un petit avion sans armes. On lui donna un fusil et on le laissa partir. Il s'agissait simplement de repérer la flotte japonaise. Hailey, toujours vêtu du maillot de corps trempé d'huile qu'il portait sur l'*Oklahoma*, regagna l'île Ford cinq heures plus tard sans l'avoir trouvée.

La plupart des survivants de l'*Oklahoma* cherchèrent à se rendre utiles sur le *Maryland*. Le sergent de « Marines » Leo Wears trouva une pièce à court de servants sur le pont principal, et se nomma d'autorité membre de l'équipage. L'enseigne Bill Ingram prit en charge une autre pièce qui semblait avoir besoin d'aide. De la passerelle, quelqu'un lui cria qu'à bord du *Maryland*, un officier devait porter sa casquette pendant les combats... Ingram en prit une au hasard, parmi toutes celles abandonnées sur le pont, et l'agita joyeusement en direction de la passerelle.

L'équipage du *Maryland* lui-même ne chômait pas non plus. Un gigantesque sergent de « Marines », surnommé naturellement « Moustique », tassa lui-même une charge dans un canon de cinq pouces, lorsque le marteau hydraulique fut mis hors de service. Les hommes couverts de sueur ne prêtaient aucune attention aux vapeurs enflammées provenant du *West Virginia* et de l'*Arizona*, qui les entouraient de toutes parts. Aussi le second-maître George Raitle fut-il quelque peu étonné de voir un officier sortir son pistolet et en menacer le premier homme pris à allumer une cigarette.

Cette même menace étonna plus encore les hommes du *West Virginia.* Le cuirassé était alors transformé en brasier. Des munitions explosaient de tous les côtés, des cartouches et des obus éclataient dans tous les sens. L'épaisseur de la fumée interdisait de s'aventurer à l'arrière du mât principal. L'arrière tribord se trouvait au ras de l'eau, et l'ordre d'évacuation avait été donné. Il était 08 h. 50, et c'est le moment que l'enseigne Thomas Lombardi, qui avait eu la permission de la nuit, choisit pour regagner son bord. Il demeura pétrifié... Cet amas de décombres, de cadavres, de literie, pouvait-il être le pont étincelant de propreté qu'il avait quitté la veille au soir !

Lui-même, vêtu d'une veste de soirée blanche, d'un pantalon de smoking et d'une cravate noire, devait constituer pour ses camarades un tableau tout aussi surprenant. Il eut de la chance. Il trouva une paire de bottes de caoutchouc sur le pont, qu'il se hâta de chausser pour remplacer ses escarpins vernis.

Sur le pont des signaux, l'enseigne Delano, lui, trouva un casque qui, par miracle, lui allait. Il se l'enfonça sur la tête, et constata que deux mitrailleuses à l'avant restaient inutilisées. Il recruta un jeune officier, un marin et le serveur du carré Doris Miller pour les servir. Les deux premiers tireraient et Miller passerait les munitions. Lorsque Delano regarda de nouveau, l'énorme Stuart, qui n'avait jamais touché à une mitrailleuse, était en train de tirer. Ses camarades le craignaient plutôt plus que les Japonais. C'était la première fois que Delano le voyait sourire depuis le jour où il avait gagné le championnat de boxe de la flotte.

Delano expédiait tous les hommes inoccupés sur le *Tennessee*, toujours amarré le long du *West Virginia.* Beaucoup d'ailleurs y avaient pensé d'eux-mêmes. Évidemment, les formalités étaient oubliées. Le commandant Charles Reordan combattait coiffé d'un panama. Un soldat qui était venu rendre visite à un camarade fut recruté et affecté à un canon de cinq pouces. Les hommes jetaient des caisses de munitions vides par-dessus bord sans se soucier des naufragés qui nageaient désespérément autour d'eux. Mais malgré tout, on respecta le droit sacré des marins à rouspéter en toutes occasions. Et personne ne s'étonna d'entendre le matelot Duncan se plaindre que sa nouvelle tenue blanche ait été salie.

Même à bord de l'amas de ferraille brûlant qu'était devenu l'*Arizona*, il y avait encore des traces de vie. Le second-maître Barthis et la plupart des survivants se tenaient à l'arrière et jetaient des bouées de sauvetage à leurs camarades qui se débattaient dans l'eau. Le timonier Forbis l'aida jusqu'au moment où Barthis annonça qu'il n'y avait plus rien à faire. Forbis plongea exactement à 08 h. 50. L'opérateur-radio Glenn Lane se trouvait déjà dans l'eau depuis le moment de la grande explosion, et aurait pu facilement gagner le rivage, mais il cherchait une occasion de participer encore au combat.

Cette occasion, il la vit soudain passer juste devant ses yeux. Le *Nevada* tournait sur lui-même, se mettait en route, avançait le long du port. Lane nagea désespérément à la rencontre du cuirassé. Quelqu'un lui jeta un filin et on le hissa à bord. Il y retrouva deux autres hommes de l'*Arizona*, qui furent affectés avec lui à une pièce de cinq pouces à tribord. Fièrement, le *Nevada* prit de la vitesse, passa le long des épaves en flammes et se dirigea vers la sortie du port.

C'était parfaitement incroyable. Il faut deux heures et demie à un cuirassé pour allumer ses chaudières, quatre remorqueurs pour le guider hors du chenal et un commandant qualifié pour diriger la manœuvre. Tout le monde savait cela. Et cependant, quarante-cinq minutes après le début de l'attaque, le *Nevada* avait suffisamment de pression pour appareiller, et sortait sans remorqueur et sans commandant.

Un certain nombre de facteurs avaient joué en faveur du cuirassé. Deux de ses chaudières étaient déjà chaudes au départ, ce qui lui avait permis de gagner une heure et demie, et dans la chambre de chauffe les hommes avaient travaillé comme des forcenés. À l'extrême rigueur, un maître-timonier pouvait remplacer les remorqueurs, et le *Nevada* en avait un remarquable, Robert Sedberry. Enfin, si le commandant Scanland et le second n'avaient pu rejoindre le navire, l'officier le plus ancien, un capitaine de corvette de réserve d'un certain âge appelé Francis Thomas, avait de lui-même décidé de prendre le commandement. Dès que la pression fut suffisante, il monta sur la passerelle, et envoya le maître d'équipage Edwin Hill couper les amarres qui attachaient le cuirassé à un ponton à munitions. Le *Nevada* partit dans le courant, et Hill dut sauter à l'eau pour le rejoindre. Mais après 29 ans de service, il était bien décidé à ne pas rater ce voyage-là.

À la barre, Sedberry fit machine arrière jusqu'à frôler un tuyau de dragage, puis il dégagea la proue de l'*Arizona* en flammes, dont le *Nevada* passa si près que Thomas eut l'impression qu'il pourrait allumer une cigarette aux flammes qui le dévoraient.

La vue de ce cuirassé en mouvement eut sur tous un effet prodigieux. C'était le premier spectacle réconfortant de la matinée. La gorge serrée par l'émotion, le matelot Thomas Malmin aperçut le drapeau qui flottait à l'arrière, et les paroles de l'hymne national *La Bannière étoilée*, écrit dans des conditions presque semblables, lui vinrent aux lèvres.

L'équipage du *Nevada* avait en général des préoccupations plus prosaïques. Au moment où les avions japonais concentraient leurs feux sur le cuirassé, le matelot Hendon aperçut une cafetière pleine près de l'infirmerie, et s'en servit une tasse. Un jeune marin, debout devant une tourelle, tenait une gargousse contre sa poitrine. S'il était atteint, expliqua-t-il, il ne voulait pas être mutilé, mais sauter aussi haut que possible. L'enseigne Taussig, la jambe arrachée, avait été couché sur une civière à côté du poste de direction de tir de tribord, et s'écria : « C'est quand même idiot. Pendant que tout le monde travaille, l'officier responsable est couché sur son dos, incapable de bouger... »

Dès que le *Nevada* commença à bouger, tous les avions japonais qui survolaient Pearl Harbour semblèrent se ruer sur lui. Sur le dock 1010, l'enseigne David King vit un groupe de bombardiers piquer sur l'*Helena* puis virer de bord brusquement et attaquer le *Nevada*. Un autre groupe, qui était en train de bombarder la cale sèche numéro 1, se joignit à la meute. Bientôt, le cuirassé fut enveloppé de fumée, provenant de ses propres canons, des bombes japonaises, des incendies qui faisaient rage au milieu du navire et à l'avant. Parfois il disparaissait derrière les colonnes d'écume que faisaient jaillir les bombes tombant autour de lui. Soudain, une formidable explosion, projetant des flammes et des débris de toutes sortes bien plus haut que les mâts, sembla soulever le cuirassé hors de l'eau, et fit trembler toute son armature. Un autre coup au but à tribord anéantit les servants d'un canon et faucha ceux du canon voisin. Les survivants s'efforcèrent de combler les vides, trois hommes effectuant la tâche accomplie normalement par sept. C'était d'autant plus difficile que le premier-maître canonnier Robert Linnartz, qui faisait fonction à la fois de tireur, de pointeur et de refouleur, avait été lui-même blessé.

Dans la salle des opérations bien au-dessous, l'enseigne Merdinger reçut l'ordre d'envoyer des hommes en haut pour remplacer les tués et les blessés. Beaucoup d'hommes étaient prêts à se porter volontaires : le risque d'être fauché par un obus sur le pont leur paraissait préférable à celui de se voir asphyxié à l'intérieur du navire. D'autres auraient préféré rester là, avec quelques épaisseurs de blindage entre les bombes et eux. Merdinger les désigna au hasard, et, sur certains visages, il pouvait lire comme une muette supplication d'être compris dans l'autre groupe, quel qu'il soit. Mais personne ne laissa échapper un mot, et chacun obéit instantanément. C'est à cette occasion que Merdinger comprit la valeur de la discipline navale.

Le *Nevada* avait dépassé « l'allée des cuirassés », et se trouvait à la hauteur du dock 1010, lorsqu'il rencontra un nouvel obstacle : la moitié du chenal était bloquée par un long pipe-line reliant à l'île Ford la drague *Turbine*. Sedberry réussit, on ne sait trop comment, à passer entre la drague et le rivage de Oahu. C'était là un exploit que la marine avait toujours jugé impossible, et le pipe-line devait normalement être détaché avant le passage d'un cuirassé.

Les Japonais espéraient évidemment couler le *Nevada* dans le chenal d'entrée, et bloquer ainsi toute la flotte à l'intérieur du port. Ils semblèrent sur le point de réussir lorsque le cuirassé se trouva à hauteur de la cale sèche flottante. De nouveaux pavillons furent hissés au sémaphore : « Dégagez le chenal. » Sur sa civière, l'enseigne Taussig sentit la colère le gagner. Il était persuadé que le cuirassé réussirait à gagner la haute mer, et qu'il était moins gravement touché qu'il n'en avait l'air. S'il prenait ainsi de la gîte, pensait-il, c'était parce que quelqu'un avait ouvert à tribord les vannes avant au lieu des vannes arrière.

Il fallait cependant obéir aux ordres. Thomas coupa les moteurs, et piqua vers Hospital Point, au sud de Pearl Harbour. Le vent et le courant le firent pivoter par l'arrière. Le maître-timonier Hill, qui était monté à bord trente minutes auparavant, se précipita à l'avant pour jeter l'ancre. À ce moment-là, une nouvelle vague d'avions lança un dernier assaut contre le *Nevada.* Trois bombes tombèrent près de la proue, et Hill disparut dans l'explosion.

Il était 09 h. 00, et c'était maintenant au tour des navires en cale sèche : le navire-amiral *Pennsylvania* dans la cale sèche numéro 1, avec les contre-torpilleurs *Cassin* et *Downes* bord à bord un peu plus loin, et le contre-torpilleur *Shaw* dans la cale sèche flottante à quelques centaines de mètres à l'ouest.

Les trois bâtiments de la cale sèche principale se trouvaient particulièrement handicapés. Leur visibilité était presque nulle. George Walter, un employé civil, opérateur d'une grue mobile sur rail du dock, s'en rendit compte immédiatement. De son perchoir à quinze mètres de hauteur, il vit les premiers avions piquer sur l'île Ford, et crut, comme tout le monde, qu'il s'agissait de manœuvres, jusqu'au moment où il vit les hydravions américains incendiés.

Mais il se rendit compte que les hommes qui se chauffaient au soleil sur le pont du *Pennsylvania*, du *Cassin* et du *Downes*, eux, n'avaient rien vu. Il hurla des avertissements que personne n'entendit. Il jeta en bas une clef anglaise, mais cela ne servit qu'à mettre les marins en colère. Ils comprirent finalement lorsque l'attaque se fut étendue à tout le port.

Quand les Japonais commencèrent à s'intéresser au *Pennsylvania*, Walter eut une idée lumineuse : il se mit à faire le va-et-vient avec sa grue le long du cuirassé, dans l'espoir de le protéger et de gêner les avions en rase-mottes. C'était peut-être un espoir insensé, mais après tout une grue ne s'attaque pas tous les jours à une escadre aérienne.

Au début, les efforts de Walter mirent en rage les canonniers du *Pennsylvania*, qui eurent l'impression qu'il leur cachait leur objectif. Mais peu à peu, ils se rendirent compte que, de toute façon, ils ne voyaient pas arriver les avions à temps pour pointer leurs pièces, et que les mouvements de la grue leur donnaient au moins une idée de la direction d'où ils allaient arriver. Bientôt d'ailleurs, une bombe japonaise détruisit le dock, et mit cette arme improvisée hors de service.

En fait, cela ne pouvait guère changer le résultat final. Les avions convergeaient de partout sur la cale sèche. Sur le *Pennsylvania*, le chef de pièce Alvin Gerth tirait directement au-dessus des têtes des servants de la pièce plus à l'avant et la déflagration renversait chaque fois le chef de pièce voisin. Celui-ci, dès qu'il se relevait, courait à Gerth et lui bottait les fesses.

Les bombes pleuvaient, et le commandant Charles Cooke du *Pennsylvania* commença à craindre de voir un coup direct frapper la grande porte de la cale sèche, ce qui aurait pour résultat d'y faire brusquement rentrer un torrent d'eau, et de projeter son navire contre les deux contre-torpilleurs à l'avant. Afin de prévenir ce danger, il donna l'ordre de faire inonder partiellement la cale sèche, et envoya le capitaine James Craig resserrer les amarres. Craig s'acquitta de sa tâche avec dextérité. Les balles sifflaient tout autour de lui, mais l'épargnaient miraculeusement. À 09 h. 06, il remonta à bord, pour y être immédiatement tué par une bombe de cinq cents livres qui démolit la tourelle qu'il était en train de traverser.

Le second-maître Robert Jones accourut au secours des blessés. Il recouvrit pieusement d'une couverture un marin dont la mort ne semblait faire aucun doute. Mais celui-ci arracha des deux mains la couverture, en criant : « Dis donc, il faut quand même que je respire, non ? »

Au milieu de ce cauchemar matinal, un disque, que l'on avait mis en marche avant le début de l'attaque dans l'atelier de réparation du cuirassé, et que personne n'avait songé à arrêter, serinait inlassablement une rengaine sentimentale.

À l'avant du *Pennsylvania*, les contre-torpilleurs *Cassin* et *Downes* semblaient récolter toutes les bombes qui manquaient le cuirassé, un coup au but à 09 h. 06, un autre à 09 h. 15... Lorsque la cale sèche fut remplie d'eau, les deux contre-torpilleurs brûlaient déjà. Des explosions secouaient leurs ponts et, à 09 h. 37, le *Cassin*, atteint de plein fouet, s'inclina lourdement vers tribord et se coucha lentement sur le *Downes*. Le matelot Eugène Mac Clarty quitta de justesse le contre-torpilleur avant d'être écrasé, et, au moment où il sautait sur le bord de la cale sèche, une autre bombe détruisit la passerelle derrière lui. Deux marins qui le suivaient immédiatement furent projetés dans la chaudière incandescente qu'était devenu l'intérieur de la cale sèche.

Un seul marin était demeuré sur le gaillard

d'arrière du *Downes*, actionnant une mitrailleuse de cinquante. Le canonnier Millard Rucoi, qui le regardait du *Pennsylvania*, se demandait combien de temps un homme pourrait tenir dans cette fournaise. Il ne tarda pas à le savoir. Au fur et à mesure que les flammes s'approchaient de lui, le matelot semblait avoir de plus en plus de mal à garder la tête droite. Finalement, il s'affaissa sur les genoux, la tête tombant sur sa poitrine, mais une main demeurée sur la gâchette de la mitrailleuse. Ce fut là la dernière vision que Rucoi eut de lui, avant qu'il n'ait disparu dans la fumée et les flammes.

Le *Shaw* n'était pas plus favorisé, dans la cale sèche flottante à l'ouest. Il y eut un coup au but vers 09 h. 12, et l'incendie s'étendit en direction de la soute à munitions à l'avant. Et vers 09 h. 30, une formidable explosion : une énorme boule de feu monta vers le ciel, que traversèrent des flammèches traînant derrière elles des jets de fumée blanche. Une fois de plus, chacun dans le port retint son souffle pour observer la scène. Sur la rampe de lancement des hydravions de l'île Ford, à près de huit cents mètres, le matelot Ed Waszkiewicz se croyait à l'abri... jusqu'à ce qu'il regarde le ciel. L'un des obus de cinq pouces du *Shaw*, projeté en l'air par l'explosion, semblait foncer droit sur lui. Il plongea sous une voiture à incendie, à l'instant où l'obus frappait, sans exploser, le ciment de la rampe, rebondissait et allait atterrir dans l'un des hangars.

La vue des corps, des matelas et des débris de toutes sortes projetés dans le ciel fit penser à l'enseigne David King, à bord de l'*Helena*, aux « hommes canons » dans les cirques. Mais cette fois, songea-t-il, tout le monde travaille sans filet.

À présent, beaucoup d'avions japonais concentraient leurs attaques sur le navire auxiliaire d'hydravions *Curtiss*, ancré devant Pearl City, de l'autre côté de l'île Ford. Quelques minutes auparavant, un bombardier japonais était venu s'écraser à tribord contre la grue destinée à remonter à bord les hydravions. C'était peut-être là le premier « kamikaze », le premier avion-suicide de la guerre. En tout cas, des commencements d'incendie s'étaient déclarés à bord du *Curtiss*, et la fumée semblait attirer les Japonais à l'assaut d'une nouvelle proie.

Enfermés dans la salle des transmissions, les quatre opérateurs-radio du *Curtiss* ne voyaient rien, mais ils entendaient les explosions des bombes de plus en plus proches, et sentaient le navire trembler sous les chocs. Le radio Jones, écouteurs aux oreilles, ne pouvait bouger, mais il n'en allait pas de même de ses trois camarades James Raines, Dean Orwick et Benny Schlect, accroupis dans un minuscule espace entre les transmetteurs.

Raines n'entendit rien ; il vit tout à coup un trou dans la cloison juste en face de lui. Puis il constata que sa chaussure gauche avait disparu... et ensuite que Schlect était mort et Orwick blessé. La cabine se remplit de fumée, et, avec l'aide de Jones, Raines sortit Orwick de la cabine. Jones rentra dans la cabine pour essayer de secourir Schlect, et Raines resta seul avec Orwick. Il ne pouvait pas faire grand-chose pour lui, sauf lui donner un peu de morphine, lui faire un garrot, et lui adresser quelques paroles d'encouragement. Orwick demanda calmement : « Mon pied est parti, n'est-ce pas ? » Raines répondit que oui, mais qu'il s'en sortirait. En fait, il devait mourir peu après. Quant à Raines lui-même, il apprit avec surprise un peu plus tard qu'il avait la colonne vertébrale brisée.

Le commandant Simon, du *Raleigh* constamment attaqué lui aussi, vit le bombardier s'écraser contre le *Curtiss* vers 09 h. 10, et un autre appareil du même groupe lâcher deux bombes contre son propre navire.

La première tomba assez loin, mais la seconde atterrit à l'arrière entre deux équipes de canonniers, frôla une caisse de munitions, passa successivement à travers l'atelier de menuiserie, une couchette à l'étage au-dessous, et un réservoir à mazout, perça la coque et alla exploser dans la vase du fond.

Le *Raleigh* s'inclina fortement vers bâbord, et l'équipage engagea une lutte acharnée pour l'empêcher de chavirer. Il fallait d'abord se débarrasser de toutes les superstructures. Les hydravions partirent en reconnaissance, et tout le reste fut largué par-dessus bord : catapultes, tubes lance-torpilles, tangons, échelles, épontilles, ancres et chaînes, canots de sauvetage, etc. Durant toute cette opération, un matelot, sur l'ordre du commandant Simons, notait soigneusement l'emplacement où tout ce matériel était immergé afin de pouvoir le récupérer plus tard. Le commandant envoya ensuite chercher des pompes à l'arsenal, et sur le *Medusa* entassa des ceintures de sauvetage dans les trous creusés par les bombes, emprunta quatre pontons, fit amarrer un chaland le long du bord. Il trouva encore le temps d'expédier son charpentier, muni d'une lampe à acétylène, sur l'*Utah*, retourné la quille en l'air, et à l'intérieur duquel on entendait de mystérieux coups de marteau.

Et pendant ce temps-là, le *Raleigh* n'arrêta pas une minute de tirer. Le commandant Simons estima d'ailleurs que ce furent ses propres canons de 1, 1 qui abattirent le bombardier qui vint s'écraser contre son navire, un autre tombé au nord de l'île Ford, deux abattus près de Pearl City, et un cinquième qui se désagrégea en plein vol.

Mais pour un avion japonais qui tombait, d'autres arrivaient en masse. Simons vit un bombardier attaquer le *Dobbin*, un grand navire auxiliaire, amarré avec deux contre-torpilleurs à l'extrémité nord de l'île Ford. La bombe explosa juste à tribord du navire. Des éclats balayèrent le pont arrière, percèrent le mât principal et la cheminée, trouèrent une baleinière comme une écumoire et tuèrent les servants de la pièce numéro 4.

Juste à l'est du *Dobbin*, le personnel du navire-hôpital *Solace* se préparait à une rude journée. Dans la salle d'opérations principale, l'infirmier Sawyer déroulait des bandes et faisait chauffer les étuves de stérilisation. À ses côtés se tenait une infirmière qui, de temps en temps, allait observer par un hublot les péripéties de la bataille. Chaque fois qu'un avion japonais était abattu, elle s'écriait : « Un de plus au tapis ! » Une de ses collègues s'employait à déchirer de longues bandes de sparadrap. Lorsqu'une bombe tombée à proximité fit tanguer brusquement le navire, elle se retrouva tout empêtrée dans son sparadrap.

Une longue file de vedettes commença à amener les blessés à bord, accompagnés souvent par des camarades. Le matelot Howard Adams, de l'*Arizona*, aida à transporter un de ses camarades jusqu'à la salle d'opérations. Il y jeta un regard, et alla rendre son petit déjeuner par-dessus le bastingage. Mais il revint, et demanda s'il pouvait donner un coup de main. C'est ce jour-là qu'il décida de devenir médecin.

À quelques centaines de mètres au nord du *Solace*, le contre-torpilleur Blue leva l'ancre et avança lentement le long du chenal est vers l'entrée du port. Au moment où il passait le long de « l'allée des cuirassés », l'équipage jeta des filins aux nageurs qui se débattaient encore dans l'eau couverte de nappes d'huile. Quelques-uns réussirent à les agripper, d'autres, à bout de force, les lâchèrent et retombèrent dans l'eau. Le *Blue* dut continuer son chemin. Il n'était évidemment pas question de faire demi-tour.

Sur les épaves qui se consumaient, les hommes

acclamèrent le *Blue* et les autres contre-torpilleurs qui, l'un après l'autre, se mettaient en marche, dès que la pression de leurs chaudières était suffisante, sans attendre les commandants demeurés à terre. Le *Blue* partit sous le commandement de l'enseigne Nathan Asher, et avec pour tout état-major trois autres enseignes. L'*Alwin* était commandé par l'enseigne de réserve Stanley Caplan, dans le civil étudiant en chimie à l'Université du Michigan.

Sur la passerelle du *Helm* qui se trouvait depuis quarante longues minutes seul à l'extérieur du port en compagnie du *Ward*, le chef-timonier Frank Handler scrutait l'horizon. Toute la flotte japonaise pouvait surgir d'une minute à l'autre. Des renforts américains arriveraient-ils jamais ?

Le premier contre-torpilleur apparut à la sortie du port vers 09 h. 00. C'était le *Monaghan*, qui venait de couler le sous-marin de poche japonais. Le *Dale*, le *Blue*, le *Henley*, le *Phelps* suivirent. Les hommes renoncèrent bientôt à les identifier. Il n'y avait pas encore là une escadre bien imposante pour commencer une guerre, mais c'était toujours ça.

À bord du croiseur *Honolulu*, mouillé aux côtés du *Saint Louis* entre les jetées en forme de doigt de gant de l'arsenal naval, la passerelle d'acajou réservée à l'amiral Leary alla s'abîmer sur le dock où elle se brisa en deux. C'était la première chose dont l'équipage s'était débarrassé quand l'ordre avait été donné de larguer l'équipement inutile afin de préparer une sortie.

Au moment où l'on coupait les amarres rattachant l'un à l'autre les deux croiseurs, un bombardier japonais piqua droit sur le *Honolulu*. La bombe tomba sur la jetée en ciment à bâbord, et explosa tout à côté du croiseur, perçant ses réservoirs de mazout et son blindage d'acier. Toute sortie était désormais hors de question. Elle aurait peut-être été impossible de toute façon, car, dans son excitation, un homme avait coupé la ligne électrique reliant le *Honolulu* au quai. Comme il n'y avait pas encore assez de pression dans les chaudières pour faire fonctionner les batteries, les lumières et le courant électrique des tourelles furent coupés en même temps.

Un incident du même genre se produisit sur le *New Orleans* amarré à un quai voisin. Des étincelles jaillirent des câbles électriques, les lumières s'éteignirent, et les monte-charge amenant les munitions aux pièces s'arrêtèrent. Les hommes firent la chaîne pour amener les obus et les gargousses des soutes jusqu'aux tourelles. Dans l'obscurité, l'aumônier Howell Forgy encouragea les hommes de son mieux. Il leur distribua des pommes et des oranges, bavarda avec les canonniers, passa la main dans le dos du matelot Sam Brayfield, et s'écria de la manière la plus classique : « Priez le Seigneur et envoyez les munitions ! »

Si personne ne coupa le câble alimentant le *Saint Louis* en courant électrique, c'est à peu près la seule chose qui fut épargnée. Un homme de l'atelier de réparation brûla la passerelle d'embarquement à tribord à la lampe à acétylène. Un autre coupa le tuyau d'alimentation d'eau au ras de la coque, y laissant un trou de trente centimètres de diamètre, sur lequel on souda immédiatement une plaque d'acier. De sa passerelle, le commandant George Rood signala aux machines « En avant toutes », et le *Saint Louis*, premier des croiseurs à faire mouvement, fonça vers la sortie du port à 09 h. 31.

Quelques instants plus tard, le commandant Rood appela la cambuse et demanda un verre d'eau. Malgré les mitraillages japonais, particulièrement meurtriers à ce moment-là, le matelot pharmacien monta le long de l'échelle avec une carafe et un verre, et servit le commandant dans toutes les règles. Car pour les hommes du *Saint Louis*, rien n'était trop bon pour le « Pacha ».

Pendant ce temps-là, les hommes demeurés à terre s'efforçaient désespérément de regagner leurs navires. Dans sa voiture officielle l'amiral Anderson brûlait tous les feux rouges. Les amiraux Pye et Leary trouvèrent une place dans la voiture de Richard Kimball, directeur de l'hôtel Halekulani. Kimball se souvient d'avoir entendu l'amiral Pye s'écrier avec rage en apercevant une forteresse volante dans le ciel : « Les Japonais ont même marqué "U.S. Army" sur leurs avions ! »

L'enseigne Malcolm prit dans sa voiture le commandant Emerson, chez lequel il avait passé la nuit. Lorsque le compteur de vitesse indiqua 120, le vieux commandant frappa sur l'épaule du jeune homme et lui dit : « Doucement, mon gars. Attendons au moins d'arriver à Pearl Harbour pour nous faire tuer. »

Le capitaine Townsend, du *Saint Louis*, avança en brinquebalant vers l'entrée du port dans sa vieille guimbarde. Il reconnut soudain un homme qui courait vers l'embarcadère : c'était un ami qu'il avait perdu de vue depuis dix ans.

Des centaines de matelots s'entassèrent dans des taxis. Mais le lieutenant Dickinson n'en trouva évidemment pas au milieu de la campagne après avoir sauté en parachute de son avion en flammes, et dut faire de l'auto-stop. Il arrêta une voiture, transportant chez des amis, à Ewa, un couple d'un certain âge, M. et Mme Heine, qui ignoraient tout des événements. Il leur fallut quelques minutes pour comprendre qu'ils n'avaient pas affaire à un passager comme les autres, qu'il venait de tomber du ciel. Mme Heine commença par dire qu'elle regrettait beaucoup, mais ne pouvait vraiment faire un détour par Pearl Harbour, car leurs amis à Ewa les attendaient déjà. Pourtant dès qu'elle eut réalisé la situation, elle montra une grande sollicitude à l'égard du jeune homme. M. Heine continua à conduire sans mot dire jusqu'à ce que, à proximité de l'entrée du port, les avions japonais aient mitraillé la voiture qui se trouvait juste devant. Sans lâcher le volant, il poussa alors doucement de sa main libre la tête de sa femme sous le tableau de bord.

Les Japonais s'efforçaient de paralyser la circulation sur les routes conduisant vers Pearl Harbour. Le radio Frederick Glaeser n'admit qu'il s'agissait d'une véritable attaque que lorsqu'une rafale atteignit sa voiture cinq kilomètres avant l'entrée du port. Un groupe de travailleurs civils, entassés à l'arrière d'un camion ouvert, tapaient sur le toit de la cabine chaque fois qu'un avion s'approchait. Le camion s'arrêtait, les hommes allaient se coucher derrière les buissons, à l'ombre des palmiers, ou sous le camion, et repartaient dès que le danger semblait s'éloigner. Mais il leur fallut vingt minutes pour faire trois kilomètres.

Naturellement, des encombrements se créèrent d'eux-mêmes. Une camionnette chargée de légumes s'arrêta au milieu de la route, et bloqua toute la circulation pendant de longues minutes. La rumeur se répandit que le conducteur appartenait à la cinquième colonne. Ce n'était sans doute qu'un fermier affolé par les mitraillages.

À quinze cents mètres de l'entrée du port, un formidable embouteillage se produisit au carrefour des routes venant de Pearl City et d'Ewa. De longues files de voitures attendaient, pare-chocs contre pare-chocs. Dans la file voisine de la sienne, un vieil officier marinier reconnut le capitaine de frégate Jerry Wiltse, commandant du *Detroit*.

Lorsque la voiture de son commandant démarra, l'officier marinier ne put contenir son impatience, et sauta dedans, abandonnant sa femme qui gémissait : « Mais je ne sais pas conduire ! »

Près de l'entrée, le commandant Wiltse s'arrêta de nouveau pour recueillir le lieutenant Dickinson. Le jeune homme avait abandonné la voiture des Heine et arriva finalement jusqu'à l'embarcadère face à l'île Ford.

Il y avait de plus en plus d'encombrements sur la route principale. Finalement, le capitaine de vaisseau Early, commandant la première flottille de contre-torpilleurs, n'y tenant plus, descendit de sa voiture et ordonna à un agent de police de pousser toutes les voitures non officielles dans les champs de cannes à sucre de part et d'autre de la route. À sa grande surprise, l'agent s'exécuta, malgré la rivalité traditionnelle qui opposait la marine à la police locale. Ce fut là le seul épisode de la journée qui procura quelque satisfaction au commandant Early.

Lorsqu'il arriva enfin à l'arsenal, Early rangea soigneusement sa voiture dans le parking qui lui était réservé, la ferma à clef, et alla jusqu'à l'embarcadère. Il était noir de monde. Des officiers essayaient de trouver des embarcations qui les mèneraient jusqu'à leurs navires, de savoir où se trouvaient leurs navires, et, dans certains cas, de réaliser que leurs navires avaient disparu à tout jamais. Ainsi, le capitaine Puckett, officier d'approvisionnement de l'*Arizona*, était assis sur l'herbe avec quatre ou cinq officiers de ce cuirassé. Ils se demandaient ce qu'ils allaient faire.

Un va-et-vient continuel de vedettes amenait les hommes à leurs bâtiments et à l'île Ford. Le capitaine Mac Isaac, commandant de *McDonough* offrit une place à bord de sa vedette à l'amiral Anderson, qui cherchait à rejoindre le *Maryland*. La bonne humeur et le calme des hommes dans la vedette impressionnèrent fortement l'amiral. De son côté, le capitaine Mac Isaac admira le flegme de l'amiral, qui n'avait même pas oublié son sac de toilette à terre.

Les petites embarcations n'étaient pas à l'abri des attaques des avions japonais. Des éclats de bombe percèrent une barque qui se dirigeait vers le *Dale*. Ses passagers durent l'abandonner, trouvèrent une autre embarcation, et tentèrent sans succès de rejoindre le *Dale* qui avait repris la mer. Le capitaine de vaisseau Early, lui, s'estima satisfait ; il ne désirait qu'une chose : faire sortir du port les contre-torpilleurs de sa flottille. Arrivant à 09 h. 30 sur l'embarcadère, il put constater que c'était chose faite, et qu'il avait maintenant sur les bras plus de commandants sans commandements que de navires.

Les aviateurs de Hickam comme les marins de Pearl Harbour firent des efforts désespérés pour rejoindre leurs postes en un temps record. L'adjudant-chef Arthur Fahrner n'arrivait pas à trouver ses galons amovibles. Sa femme ne l'aidait guère. Elle lui tendait inlassablement une cravate. Exaspéré, il cria : « Nous sommes en guerre. À la guerre, on ne met pas de cravates... »

Le lieutenant Warren Wilkinson s'habilla avec le plus grand soin, mais mit en marche sa voiture trop brutalement. Son menton cogna contre le bouton du klaxon, qui resta coincé. Au milieu des bombardements et des mitraillages, il descendit, ouvrit le capot, et débrancha l'avertisseur.

Lorsqu'il arriva aux hangars, les bombardiers en piqué s'étaient éloignés, et un calme étrange régnait sur le terrain. Des groupes d'hommes examinaient les énormes cratères creusés par les bombes, et les cadavres qui parsemaient le gazon.

Près des casernements, de l'autre côté de la rue, le sergent Robert Hey posa un instant sa mitraillette, pour souffler un peu. Mais vers 09 h. 00, on l'avertit que les bombardiers en vol horizontal approchaient. Il ne vit d'abord que les flocons noirs de la D.C.A. au-dessus du Fort Kamehameha, mais bientôt il aperçut les avions eux-mêmes, formant très haut dans le ciel un « V » parfait. Tout à coup, il entendit comme un léger bruit de papier déchiré, augmentant en intensité. Il hurla un avertissement, et courut se réfugier dans un terrain vague de l'autre côté de la route. Deux des bombes tombèrent à moins de vingt mètres de là, et les éclats sifflèrent au-dessus de sa tête.

Au hangar 15, il n'y eut même pas d'avertissement. Le sergent Swinney, après avoir inspecté l'état de la piste, examinait les dégâts qu'avait subis un bombardier B-18. Sous l'avion des hommes étaient en train de changer un pneu du train d'atterrissage percé par les balles de mitrailleuse.

À côté de l'avion, un sous-officier expliquait à un jeune mécanicien, qui avait choisi cet instant apparemment peu propice pour se perfectionner dans son métier, comment était monté le train d'atterrissage.

Dans un fracas assourdissant, la bombe traversa le toit du hangar, qu'elle plongea dans une obscurité totale. Swinney crut sa dernière heure arrivée. Puis un rayon de soleil perça la fumée et la poussière, et Swinney eut l'impression horrible de survivre seul dans un monde désintégré.

Le caporal John Sherwood travaillait à l'extérieur du hangar 15 lorsque l'attaque commença. Il alla se cacher dans un coin du hangar 13, qui n'avait pas encore été endommagé, et attendit la fin du bombardement. Pour la première fois de la matinée, il eut le temps de prier. Lorsque les bombes commencèrent à tomber plus près, deux jeunes lieutenants, pleurant comme des enfants, tentèrent de le déloger de sa cachette pour prendre sa place. Sherwood leur conseilla de se chercher un coin à eux, et quitta finalement le hangar, laissant les lieutenants s'installer où ils voulaient.

À l'infirmerie de la base, l'infirmière Monica Conter, couchée par terre au milieu de ses collègues, de médecins et de malades, avait trouvé un couvercle de boîte à ordures qu'elle tenait au-dessus de sa tête comme un bouclier. À plusieurs reprises, quelqu'un chercha à s'en emparer, mais elle réussit à le garder.

Les abris sûrs étaient bien rares. Le soldat Bert Shipley alla rejoindre quatre de ses camarades qui tiraient au fusil, d'une tranchée, sur les avions japonais, sans aucun espoir du reste de les atteindre. Des cuisiniers furent tués dans la chambre froide du mess où ils avaient cherché refuge.

On n'avait pas pu faire grand-chose à Hickam contre les bombardiers en vol horizontal, mais lorsque les bombardiers en piqué revinrent vers 09 h. 15, les hommes combattirent avec tout ce qui leur tombait sous la main. Un soldat s'installa au poste de mitraillage dans le nez d'un B-18 endommagé, et continua à tirer jusqu'à ce que l'avion ait complètement brûlé. Les volontaires accouraient pour remplacer les servants des mitrailleuses sur le terrain d'exercice au fur et à mesure qu'ils tombaient, et s'écroulaient à leur tour. Il n'y eut que peu de survivants. Le sergent-chef Chuck Middaugh, une forte tête régulièrement punie, s'empara d'une mitrailleuse de trente et tira jusqu'à ce qu'il ait abattu son avion.

Deux hommes, qui avaient mis une mitrailleuse en batterie sur le terrain de base-ball du camp furent tués instantanément. Ils ne pouvaient évidemment savoir que les Japonais croyaient que les canalisations d'essence de la base passaient juste sous le terrain de sport.

Le système de pompage du carburant fut du reste

mis hors d'action pendant peu de temps, mais le sergent-chef Guido Manbretti, spécialement chargé de son entretien, paria une bouteille de cognac à un officier qu'il le remettrait en marche en quelques minutes. Il gagna son pari, mais attend toujours sa bouteille.

Les volontaires affluèrent pour conduire les camions-citernes d'essence hors de la zone attaquée. Certains d'entre eux ne se trouvaient d'ailleurs là que par hasard. Ainsi le major Henry Sachs, un spécialiste de l'armement, qui avait fait escale à Hawaii sur le chemin du Moyen-Orient, se précipita vers l'embarcadère de Hickam, et aida à décharger le *Haleakala*, une péniche chargée de dynamite et de grenades. Des Hawaiiens membres d'un club de motocyclistes, vêtus de chemises bariolées, vinrent donner un coup de main.

Pendant ce temps-là, quelques forteresses volantes tournaient toujours dans le ciel en quête d'un terrain d'atterrissage. L'une d'elles se posa sur le terrain de golf de Kahuku. Une autre atterrit inopinément à Wheeler. À l'instant où le pilote émergeait de sa carlingue, le colonel William Flood, commandant la base, le visage impassible, lui donna l'ordre de décoller à nouveau pour chercher la flotte japonaise. Le pilote paraissait anéanti et balbutia : « Vous savez, mon colonel, nous arrivons de Californie... »

« Je sais bien, lieutenant, mais c'est la guerre ! »

Le pilote soupira, et implora simplement une tasse de café avant de repartir.

Mais Flood n'eut pas le cœur de poursuivre sa plaisanterie. Il dit au pilote qu'il pouvait aller dormir, et que l'on ferait appel à ses services le lendemain.

Il est difficile de dire combien d'avions américains en fait décollèrent de Wheeler pendant l'attaque. Le général Howard Davidson, commandant l'aviation de chasse de Hawaii, en dénombre 14. Mais les archives ne mentionnent aucun décollage de P-40, et uniquement le départ d'une poignée de P-30 périmés. Il est possible que le général base ses calculs sur le fait que les lieutenants Welch et Taylor se posèrent et décollèrent à trois reprises pour se réapprovisionner en munitions.

Tous deux avaient eu une matinée bien remplie. Ils décollèrent dès leur arrivée à Haleiwa, sans attendre d'instructions. Le commandant de la base était d'ailleurs à la chasse ; les jeunes pilotes partirent d'abord pour Barber's Point, qui constituait, croyait-on, le rendez-vous des avions japonais, mais n'y trouvèrent personne. Ils regagnèrent alors Wheeler, pour compléter leur approvisionnement en munitions. À 09 h. 00, alors que leurs hélices tournaient déjà pour un nouveau décollage, sept avions japonais foncèrent sur le terrain voisin de Hickam pour un dernier mitraillage. Les deux américains réussirent à s'intégrer dans la formation ennemie et à descendre deux avions nippons — l'un d'eux était celui qui avait rasé l'eucalyptus derrière la blanchisserie de Mme Young.

Welch et Taylor se dirigèrent alors vers Ewa, où ils avaient aperçu des bombardiers en piqué en pleine action. Là, ils surclassèrent aisément leurs adversaires, et, à eux deux, en envoyèrent quatre au tapis. Blessé au bras, Taylor dut se poser, mais Welch abattit encore un japonais.

Du sol, on les aida puissamment. D'Ewa, comme des autres aérodromes, on avait mis en batterie tout ce qui pouvait tirer, et notamment les mitrailleuses des avions hors d'état de prendre l'air.

Mais le personnel d'Ewa ne fut pas épargné. Le lieutenant-colonel Larkin, commandant la base, fut légèrement blessé par un éclat d'obus ; un infirmier fut lui-même atteint alors qu'il était en train de panser ses camarades. Cinquante-deux éclats d'obus percèrent le toit de l'infirmerie.

Au sud-est de l'île, à la base de chasse de Bellows, toute réaction s'avéra impossible. Un premier P-40 décolla vers 09 h. 00, piloté par le lieutenant George Whitman, mais six « zéro » le descendirent immédiatement. L'avion du lieutenant Hans Christianson fut détruit avant même qu'il n'ait pu quitter la piste, et celui du lieutenant Sam Bishop quelques instants après. Bishop réussit à « ditcher » son *Curtiss* dans la mer, et à regagner la côte à la nage. L'attaque-éclair des Japonais sur Bellows était terminée avant qu'aucun autre avion américain n'ait pu prendre l'air.

À Kaneohe, un peu plus au nord, les bombardiers détruisirent tout ce que les chasseurs avaient épargné. Il y eut alors un court répit, et les sirènes retentirent, appelant tous les hommes disponibles à aller combattre les incendies. Mais des chasseurs, revenant à la charge, attaquèrent à la mitrailleuse les hommes qui couraient vers les hangars en flammes. Les témoins se souviennent encore de la course effrénée du matelot Marshall, qui, disent-ils, distança sur cent mètres un chasseur japonais... On l'acclama comme s'il venait de marquer un but dans un match de football.

À 09 h. 30, ce fut au tour des bombardiers en piqué de foncer sur Kaneohe. Mais à présent, chacun avait en main une arme quelconque. Des officiers tiraient au fusil sur les avions. D'autres avaient monté des mitrailleuses sur des canalisations d'eau, sur des échafaudages... Le matelot mécanicien Ralph Watson continua à tirer longtemps après avoir été grièvement blessé.

Tout à coup, chacun, comme s'il s'était donné le mot, concentra son tir sur un chasseur japonais.

Vomissant une épaisse fumée noire, le « zéro » piquait droit vers le sol. L'enseigne Reese se demanda si le pilote était fou... Il ne pouvait croire qu'ils avaient vraiment abattu un avion ennemi. Mais l'appareil alla s'écraser contre une colline voisine, d'où jaillit une énorme flamme, et se désintégra complètement.

Ce n'étaient ni la canonnade ni le bombardement qui dérangeaient le médecin de la marine Mac Crimmon pendant sa troisième opération à l'infirmerie de Kaneohe, mais le bruit d'une porte que les déflagrations faisaient battre continuellement. Mac Crimmon ne parvenait pas à se concentrer sur sa tâche, une grave blessure à l'estomac. Finalement, il envoya un marin tenir la porte pendant qu'il terminait l'opération.

Alors qu'il se lavait les mains, avant d'entamer l'opération suivante, il pensa tout à coup avec horreur à ce qu'il venait de faire. Distrait par ce bruit de porte, il avait recousu de travers l'estomac de son blessé. Avant qu'il ne soit sorti de l'anesthésie, il avait rouvert l'estomac du blessé, corrigé son erreur et recousu l'estomac correctement.

À cinq kilomètres de là, Mme Mac Crimmon, dont la maison donnait sur la plage même, regardait les avions piquer sur Kaneohe. Vingt-sept appareils japonais passèrent si bas qu'elle put voir les écharpes blanches que portaient certains des pilotes. Ses deux petits garçons agitaient les bras avec enthousiasme mais les pilotes ne parurent pas les remarquer.

Les familles du personnel de la flotte qui habitaient l'île Ford n'avaient pas le temps de se livrer à ce genre de démonstrations, car ils se trouvaient en plein centre du cataclysme. Un certain nombre de personnes se réfugièrent dans le bâtiment en béton réservé aux officiers célibataires. D'autres amenèrent du Coca-Cola et des cigarettes aux hommes qui émergeaient de l'eau. Le premier-maître Albert Molter transforma sa maison en infirmerie de campagne. Bientôt une quarantaine d'hommes ruisselants d'eau, couverts d'huile, souffrant de chocs nerveux et parfois atrocement brûlés s'entassèrent chez lui. Il trouva une trousse d'urgence dans un local voisin utilisé par les boy-scouts, ouvrit toutes ses boîtes de conserve, vida ses armoires des draps, des serviettes et des couvertures qui pouvaient s'y trouver et distribua aux marins nus ses vêtements civils. Il pensait bien d'ailleurs qu'il n'aurait guère l'occasion de les mettre dans un proche avenir...

Dans le pâté de maisons réservé aux officiers supérieurs, à Makalapa, Mme Mayfield et sa femme de chambre japonaise Fumyo allèrent attendre la fin de l'attaque aux côtés de Mme Earle, leur voisine. Mme Daubin, la seule autre femme demeurée dans le quartier, vint les y rejoindre. Dans le salon des Earle, elles installèrent un « abri » sous deux grands canapés de bambous qu'elles retournèrent et sur lequel elles entassèrent des coussins. Tout en déménageant ainsi les meubles, Fumyo demanda à l'oreille à sa patronne : « Madame, ce sont... ce sont les JAPONAIS qui nous attaquent ? »

Aussi gentiment qu'elle le put, Mme Mayfield répondit à la question de la servante.

Dans chaque maison, on trouvait les moyens de protection les plus divers contre les bombes et les mitrailleuses japonaises. Chaque fois qu'elle entendait un avion, Mme Mary Buethe s'enfermait dans une armoire avec ses enfants, tandis que Mme Walter Blackey plongeait dans sa baignoire. Mme Fonderhide, dont le mari était embarqué sur un sous-marin, s'arma d'un revolver et attendit. Le petit Richard Cote s'arma, lui aussi, de son pistolet à eau et tira vers le ciel...

Mme Carl Eifler, la femme d'un capitaine d'infanterie, avait, elle, perdu son petit garçon. Elle tenta de s'occuper, fit des valises, remplit des brocs d'eau, chercha des médicaments, tout en se demandant où l'enfant avait bien pu passer. Il finit par reparaître, mais, à ce moment-là, l'avenir lui semblait si sombre qu'elle se demandait si elle se laisserait capturer par les Japonais avec son fils, ou si elle le tuerait et se tuerait ensuite. Et tout en se livrant à ces noires pensées, elle nettoyait activement la salle de bains.

Beaucoup d'autres femmes s'absorbaient ainsi mécaniquement dans leurs tâches quotidiennes. Mme William Campbell nettoya soigneusement la tenue d'été blanche de son mari, un officier de marine, et avait commencé à l'étendre dans son jardin quand une sentinelle éberluée l'obligea à se mettre à l'abri.

Mme Melbourne West, femme d'un officier de l'armée, fit son repassage. Elle avait l'impression que, avec cette guerre qui commençait, son mari aurait besoin de beaucoup de chemises propres.

Tandis que, dans les zones attaquées, les gens s'habituaient tant bien que mal à l'idée de la guerre, rien n'était encore changé pour la plupart des habitants de Honolulu. Pour des milliers de civils, le monde était toujours en paix.

Mme Garnett King téléphona à son garage pour savoir si on pouvait laver sa voiture ce matin. On lui dit de l'amener dans l'après-midi. Pendant que des explosions retentissaient dans le lointain, Arthur Land chargea sa voiture de salade pour le pique-nique annuel des anciens élèves de son école. En fin de matinée, lorsque la canonnade commença à s'apaiser, Hubert Coryell dit à un de ses amis : « Ils y ont été fort ! » et partit s'entraîner au tir à l'arc.

Même les indications les plus aveuglantes furent ignorées. En permission ce jour-là, le sous-lieutenant Earl Patton, en train de pêcher dans une barque avec des amis, vit un avion piquer droit dans la mer et y disparaître à quelque distance. Il pensa qu'il s'agissait d'un accident, et fit force de rames vers le lieu du sinistre, dans l'espoir de sauver le pilote. À ce moment-là, un second avion fonça sur la barque et la mitrailla blessant légèrement l'un des pêcheurs. Patton crut que le pilote cherchait simplement à attirer leur attention sur l'accident qui venait de se produire.

En sortant de l'église, Mme Patrick Gillis vit une façade de maison en ruine, et pensa qu'un chauffe-eau avait explosé. Une ménagère hawaiienne, Mme Cecilia Bradeley, blessée par un éclat de bombe dans son jardin pendant qu'elle donnait à manger à ses poulets, se crut victime de la maladresse d'un chasseur. Le fracas des explosions réveilla Mme Barry Fox, dans la baie de Kaneohe. Elle vit d'étranges avions tournant au-dessus de la base, d'énormes flammes, un rideau de fumée. Elle décida qu'il devait s'agir d'un exercice de camouflage par fumée artificielle, et ne s'inquiéta que lorsque, ouvrant sa radio à 09 h. 30, elle n'entendit pas, comme chaque matin, le bulletin de nouvelles.

Graduellement, la vérité se faisait jour. Tout en suivant distraitement la messe à l'église d'Alewa Heights, Stephen Moon, un petit Chinois de douze ans, pensait au pique-nique de l'école organisé pour ce dimanche. Vers la fin de la messe, il aperçut par la fenêtre deux avions qui semblaient se poursuivre. Il n'y aurait guère prêté attention — à cette époque c'était là une vision fort banale à Hawaii — s'il n'avait vu en même temps des boules de fumée noire dans le ciel. Or il savait que les tirs d'exercice ne laissaient qu'une fumée blanche. Il s'aperçut alors que, dans l'église même, régnait une fièvre inhabituelle. Sans même attendre la fin de la messe, des parents venaient en hâte chercher leurs enfants, et les grandes personnes autour de lui chuchotaient mystérieusement. Et après le sermon, au lieu d'entonner comme d'habitude un cantique, les fidèles se levèrent et chantèrent l'hymne national.

Stephen n'y comprenait rien, et pensait toujours à son pique-nique. En sortant de l'église, il se dirigea vers la maison d'un camarade. Soudain, un avion piqua sur une voiture qui roulait vers Pearl Harbour et la mitrailla. Cette fois, il fit demi-tour et courut à toutes jambes vers sa maison où sa mère l'attendait avec anxiété.

Le capitaine Walter Bahr, l'un des meilleurs pilotes du port de Honolulu, remarqua lui aussi la fumée noire dans le ciel, alors qu'il voguait à bord de sa vedette vers le vapeur hollandais *Jagersfontein,* arrivant de Californie. Préoccupé par ce vacarme et cette fumée, il prit la direction de la manœuvre du vapeur. Devant l'entrée du port, des bombes commencèrent à encadrer le navire. Comme la Hollande se trouvait déjà à cette époque en état de guerre contre l'Allemagne, le *Jagersfontein* était armé, et son équipage savait exactement ce qu'il fallait faire en pareil cas. Quelques instants plus tard, les canons du *Jagersfontein*, premier bâtiment allié à participer à la guerre du Pacifique, ouvraient le feu contre les avions japonais.

Un jeune boxeur poids plume nommé Toy Tamanaha descendit vers 09 h. 30 prendre un café au coin de Fort Street, en plein centre de Honolulu. Le bruit de la canonnade ne le préoccupait guère — les militaires ne cessaient de faire des manœuvres ces temps-ci. Un des clients du café annonça que la guerre avait commencé, mais Toy n'y fit pas attention. Un autre consommateur déclara alors que tous les charpentiers devaient rejoindre leurs ateliers d'urgence. L'un des meilleurs amis de Toy, qui se trouvait avec lui au café, était justement charpentier ; le jeune boxeur sortit avec lui, et en profita pour s'arrêter dans un drugstore voisin pour manger une glace. C'est là que la chose arriva : une formidable explosion, qui le projeta au-dehors. Il entendit très vaguement des appels au secours, et s'aperçut que sa jambe gauche avait disparu. Il pensa : « Je n'ai peut-être perdu qu'une jambe... » Mais il se trompait, car on dut l'amputer des deux. Avant de s'évanouir, il entendit quelqu'un qui lui disait : « Ne t'en fais pas, Toy, tu t'en sortiras ! »

Il y eut des explosions d'un bout à l'autre de la ville. Quatre travailleurs de l'arsenal qui se trouvaient à un carrefour dans le centre furent mis en pièces, en même temps qu'une fillette de treize ans qui contemplait le spectacle assise devant sa porte.

La plupart des habitants de Honolulu crurent par la suite que ces explosions avaient été causées par des bombes d'avion. En fait, les enquêtes auxquelles se livrèrent les spécialistes révélèrent qu'à part une chute de bombe près de la centrale électrique, les quarante explosions dénombrées à Honolulu étaient toutes dues à des obus de D.C.A. mal réglés.

Et malgré cette pétarade, Honolulu ne croyait pas encore à la guerre. Les archives du commissariat central de police indiquent bien une certaine émotion : dès 08 h. 05, un certain Thomas Fujimoto téléphona pour se plaindre qu'une bombe avait interrompu son petit déjeuner... Mais elles montrent aussi, jusque tard dans la matinée, une activité « normale » : on peut y lire : « 10 h. 50. Un individu ivre cause du scandale au coin de Beretania et d'Alapai. »

Dans la salle de rédaction du *Star Bulletin*, le rédacteur en chef Riley Allen réussit, grâce à des efforts acharnés, à sortir une édition spéciale, qui fut mise en vente à 09 h. 40. On y lisait en gros titre : « LA GUERRE A COMMENCÉ. OAHU BOMBARDÉ PAR DES AVIONS JAPONAIS. » Chez elle à Alewa Drive, Mme Paul Spangler entendit les vendeurs qui criaient : « Édition spéciale ». Elle n'avait pas de monnaie, et hésita à dépenser les cents qu'elle avait mis de côté pour la quête à l'église. Elle finit par s'y décider.

Dans le bureau du *Star Bulletin*, le téléphone sonna. Un inspecteur de police exaspéré demandait à Allen de rappeler ses vendeurs, qui, malgré les bombes, étaient partis vendre leurs journaux à Pearl Harbour.

Pour ceux qui doutaient encore, il restait la radio. À 08 h. 04, la station K.G.M.B. avait interrompu un programme de musique pour passer un premier bulletin : « Ordre à tout personnel militaire de rejoindre immédiatement leur poste. » Cet ordre fut répété à 08 h. 15 et à 08 h. 30. Entre-temps, la station K.G.U. avait diffusé un appel à tous les médecins, infirmières et personnel civil employé dans des établissements militaires, leur demandant de rejoindre leurs postes d'urgence. La première explication ne fut donnée qu'à 08 h. 40. Elle était ainsi conçue : « Une attaque aérienne sporadique a été effectuée sur l'île de Oahu... Des avions ennemis ont été abattus... L'insigne du Soleil Levant a été aperçu sur les ailes. » Mais beaucoup d'auditeurs crurent que « sporadique » signifiait « simulée ».

De toute façon, il fallait du temps aux gens pour absorber de telles nouvelles. Certains auditeurs ouvrirent leur poste entre deux bulletins de nouvelles et n'entendirent que la diffusion du service religieux, ou de la musique de remplissage. Rassurés, ils tournèrent le bouton. D'autres se rappelèrent la fameuse émission d'Orson Welles sur l'invasion des Martiens[1]. Cette fois, ils ne marchaient pas !

Webeley Edwards, directeur de la station

1. Une émission simulée, extrêmement réaliste, sur une prétendue invasion de la Terre par les Martiens, qui sema la panique aux États-Unis avant la guerre, et rendit célèbre le jeune Orson Welles (N.D.T.).

K.G.M.B., avait gagné le studio et s'efforçait d'adapter son programme aux circonstances. Mais il n'était pas facile de se défaire d'un seul coup des habitudes du temps de paix. Les rengaines que l'on passait entre les bulletins semblaient atrocement déplacées. Et il continuait à se voir assailli de coups de téléphone de gens qui posaient des questions, qui exprimaient leur scepticisme. Edwards sentait l'exaspération le gagner. Finalement, Allan Davis, un important homme d'affaires de Honolulu, membre du conseil d'administration de la station, téléphona à son tour pour demander s'il ne s'agissait pas de manœuvres. Edwards éclata : « Mais non, bon Dieu, c'est le « real McCoy[1] ».

Davis parut très choqué, murmura : « Ah, vraiment... » et raccrocha.

Devant l'effet produit, Edwards décida d'employer cette expression dans ses bulletins, pour que les auditeurs finissent par prendre les nouvelles au sérieux. À partir de 09 h. 00, il ne cessa de répéter que l'attaque était le « real McCoy », et c'est cette phrase qui devait, dans la mémoire de beaucoup d'auditeurs, symboliser le début de la guerre.

Il y eut au moins un des auditeurs d'Edwards à se sentir désappointé. Installé dans le carré des officiers du porte-avions japonais *Akayi*, le capitaine de frégate Shin Ishi Shimizu écoutait la radio pour savoir comment les Américains allaient réagir. Bientôt le speaker commença à diffuser des instructions, invitant telle et telle catégorie de personnes à rejoindre leurs postes. Il parlait d'une voix calme, et, entre ces bulletins, la station continuait à passer des disques. Ce n'était nullement le ton auquel s'attendait Shimizu, car le speaker paraissait beaucoup moins excité que l'officier japonais.

1. Expression d'argot américain signifiant : c'est authentique, réel (N.D.T.).

X

09 heures 45 — 17 heures 00

Très haut au-dessus de Pearl Harbour, les derniers avions disparurent vers l'ouest aussi mystérieusement qu'ils étaient apparus. Des remorqueurs réussirent à extirper le *Nevada* de la vase de Hospital Point et traînèrent le cuirassé, de l'autre côté du chenal, jusqu'aux fonds plus solides de la péninsule de Waipio où il s'échoua. Les équipages reçurent la permission de quitter leurs postes de combat. Il était 10 heures.

Ce n'est qu'alors que les hommes se rendirent compte de la tension qu'ils venaient de subir. Le second maître Rendon se heurta à l'un de ses meilleurs amis, qui avait, durant toute l'attaque, servi un des canons de cinq pouces. Il ne le reconnut même pas. Il ne voyait que des avions et encore des avions. À l'un des canons de D.C.A., quelqu'un passa des cigarettes et, comme d'habitude, il n'en offrit pas à l'un de ses camarades bien connu pour son horreur du tabac et de l'alcool. Mais cette fois l'homme balbutia : « Je crois que je vais t'en demander une ! »

Sortant du poste de direction de tir de bâbord, l'enseigne John Landreth ressentait une impression bizarre. Il venait de combattre avec ardeur, mais ne pouvait s'empêcher de se demander : tout cela est-il réel ? était-ce vraiment moi qui tirais sur d'autres hommes, qui tiraient eux-mêmes sur moi ? n'est-ce pas un rêve ?

John Fisher, un jeune soldat de la police militaire de Fort Shafter, était à tel point convaincu qu'il s'agissait en effet d'un rêve qu'il ne cessait de se pincer, espérant se réveiller dans un univers à nouveau normal. Le sergent-chef Franck Allo, contemplant les ruines fumantes de Hickam, ressentait exactement les sentiments d'un petit garçon dont le chien vient d'être écrasé par une voiture : tout cela était parfaitement incroyable.

Mais la plupart des hommes, sur les bateaux qui brûlaient et qui coulaient, n'avaient pas le temps de philosopher. Il s'agissait avant tout de survivre. Lorsque, à 10 h. 00, l'*Oglala* se coucha complètement sur bâbord, l'amiral Furlong se laissa glisser, comme un artiste de cirque, vers le bas du mont et atterrit sur le dock 1010. Une légende s'est établie autour du vieux navire, qui, dit-on dans la marine américaine, « a eu si peur qu'il s'est laissé couler... ».

De l'autre côté du chenal, le moment était venu d'abandonner le *West Virginia.* Autour du blockhaus et du mât principal, les incendies faisaient rage, bloquant le lieutenant Rocketts et un groupe d'hommes restés sur la passerelle. L'enseigne Lombardi fit braquer sur eux une lance à incendie. Puis l'enseigne Graham leur lança une corde et ils descendirent l'un après l'autre sur le pont. L'enseigne Delano avait été coupé de ses camarades. Il dut ramper vers l'avant jusqu'au pont des projecteurs, et se servir d'une tourelle, comme d'une échelle géante, pour atteindre le pont. Il sauta par-dessus bord, et nagea vers l'île Ford, poursuivi par l'huile enflammée qui flottait à la surface.

Il entendit tout à coup une voix bien connue qui criait : « Au secours ! Au secours ! Je n'en peux plus ! » C'était un vieil officier marinier très mauvais nageur. Delano était à ce moment-là trop faible pour le soutenir, mais pouvait au moins l'encourager de la voix. Il se retourna et vit le vieux premier maître qui nageait comme un poisson, tout en continuant à crier qu'il n'en pouvait plus. Il arriva au rivage cinq bonnes minutes avant Delano.

L'enseigne Jacoby plongea tout habillé du gaillard d'avant du *West Virginia*. Il nagea sous l'huile enflammée, et se dirigea vers une vedette du *Solace*. Mais le poids de ses vêtements l'entraînait vers le fond, et l'huile enflammée gagnait sur lui à chaque instant. Oubliant qu'il ne savait pas du tout nager, un marin de la vedette sauta à l'eau pour lui porter secours. Les deux hommes, enlacés, étaient en train de se noyer quand quelqu'un dans la vedette eut l'idée de leur lancer un drap noué qu'ils purent saisir, et de les hisser ainsi à bord. Il était temps, car l'avant de la vedette commençait déjà à prendre feu.

L'enseigne Vance Fowler, officier payeur du *West Virginia*, quitta le navire d'une façon beaucoup plus digne. Il sauta dans un radeau, et gagna le rivage en pagayant à l'aide de son livre de compte.

Mais le problème, pour une trentaine d'hommes enfermés dans l'infirmerie de l'*Oklahoma*, maintenant complètement retourné, était de sortir du cuirassé. Ils se trouvaient dans une poche d'air triangulaire, haute d'environ un mètre. L'un d'eux avait une lampe électrique, et lançait le mince faisceau lumineux dans toutes les directions essayant de situer leur prison. Aucun d'eux ne se rendait compte que le bâtiment avait la quille en l'air et que c'était le plancher de l'entrepont qu'ils voyaient au-dessus de leur tête.

Pendant la première heure, ils n'essayèrent même pas de s'échapper, car ils étaient persuadés qu'on allait venir les secourir. Aucun d'eux ne se doutait qu'ils se trouvaient bien au-dessous du niveau de la mer.

Peu à peu l'angoisse les gagna. L'un des hommes se décida enfin à ouvrir un hublot sous l'eau et ils se relayèrent pour effectuer des reconnaissances. Mais les prisonniers hésitaient encore à plonger à travers cette ouverture, car ils savaient que certains hublots ne donnaient que sur des espaces aménagés entre deux épaisseurs de coque.

Bientôt ils n'eurent plus le choix. L'air se raréfiait, et il était évident que, s'ils demeuraient dans cet étroit compartiment, ils étaient condamnés à l'asphyxie. Un par un, ils commencèrent à se frayer un passage à travers l'étroit hublot. Ce ne fut pas facile. Le hublot s'ouvrait vers l'extérieur — c'est ce qui leur fit comprendre que le cuirassé avait la quille en l'air — et chaque fois qu'un des hommes essayait de passer, un de ses camarades devait plonger sous l'eau pour en tenir le battant.

Celui qui avait le premier découvert le hublot n'avait aucune chance de s'en sortir. Le malheureux était trop corpulent pour passer à travers cette ouverture de trente-cinq centimètres de diamètre et il remonta, désespéré, dans le compartiment. Quelques-uns de ses camarades se mirent alors à gémir et à réciter des prières.

Le matelot Murphy passa de justesse, après trois tentatives infructueuses. Il émergea peu après 10 h. 00 et fut recueilli par la vedette du *Dobbin.* Le spectacle du port dévasté l'étonna plus que les circonstances de son évasion, car, comme ses camarades de l'infirmerie, il avait cru que seul l'*Oklahoma* avait souffert du bombardement.

Voyant les nappes d'huile en flammes lécher la poupe du *California*, le commandant Bunkley avait donné à 10 h. 02 l'ordre d'évacuer le navire. Mais le vent changea de direction, et l'huile brûlante s'éloigna, et à 10 h. 15, Bunkley essaya de faire remonter tout le monde à bord pour combattre les incendies. Un officier adressa aux hommes déjà à terre un discours fort éloquent, leur expliquant que le *California* était un beau navire, et que s'ils remontaient à bord pour éteindre le feu, on pouvait encore le sauver.

Les hommes paraissaient plutôt hésitants, et le matelot Conner eut une idée de génie. Avec un de ses camarades, il hissa les couleurs. Les hommes l'acclamèrent et remontèrent à bord.

Il n'y avait naturellement aucun espoir de sauver l'*Utah*, qui, comme l'*Oklahoma*, avait la quille en l'air. Mais le capitaine Isquith, en entendant les coups sourds qui résonnaient contre la coque, comprit que l'on pouvait au moins essayer de sauver quelques-uns des hommes enfermés à l'intérieur. Il mobilisa une petite équipe de spécialistes et de volontaires et se mit à l'ouvrage. Au début, les chasseurs japonais les gênèrent, mais l'attaque tirait à sa fin, et des soudeurs du *Raleigh* et du *Tangier* vinrent à leur rescousse. Ils repérèrent l'origine des coups frappés contre la coque comme devant se trouver dans la chambre des dynamos. Au bout d'une heure, ils avaient découpé un trou de quarante-cinq centimètres de diamètre, d'où finit par émerger le pompier John Vaessen, l'homme qui s'était laissé enfermer à son poste auprès des chaudières.

Contrairement aux hommes bloqués dans l'infirmerie de l'*Oklahoma*, Vaessen avait immédiatement compris que le navire était renversé. Muni d'une lampe électrique et d'une clef anglaise pour taper contre la coque, il avait donc entrepris l'ascension du fond du vieux bateau-cible. Il bénéficia de la chance insensée que méritait son courage : sa clef anglaise s'adaptait exactement à la vingtaine de boulons qu'il dut desserrer pour accéder à la double coque.

Dans la salle des opérations du *Nevada*, l'enseigne Merdinger ne se trouvait pas encore bloqué, mais il commença néanmoins à se demander comment il allait remonter à l'air libre. Cinq étages le séparaient du pont supérieur. L'éclairage normal était hors de service, les ventilateurs ne tournaient plus, et les lampes de secours illuminaient d'une lueur verdâtre et spectrale les hommes au torse nu, en sueur, écouteur aux oreilles. On aurait dit, pensa Merdinger, une séquence cinématographique représentant des hommes emmurés dans un sous-marin coulé.

Sous forme de prières muettes, le jeune enseigne demanda d'abord à s'en tirer sans blessure. Mais bientôt, comme les choses prenaient de plus en plus vilaine tournure, il se fit moins exigeant. Pourvu que la blessure ne le rende pas invalide à tout jamais... Et enfin, il se sentit prêt à sacrifier sa vie, mais pria pour avoir le courage de mourir « comme un officier et un gentleman », il ne recula pas devant le cliché.

Des rapports arrivaient d'un peu partout dans cette salle des opérations, et ils n'avaient certes rien d'encourageant. Il apprit le torpillage de l'*Oklahoma*, et c'est à ce moment-là que le *Nevada* commença à prendre de la gîte. Puis ce fut la terrible explosion de l'*Arizona*, et l'incendie se rapprocha des soutes à munitions du *Nevada.* Chaque désastre à bord d'un des autres navires semblait sonner le glas de celui sur lequel il se trouvait. Et enfin, pour mettre un comble à l'inquiétude, la passerelle fit appel à tous les hommes sachant le japonais. Voilà qui ouvrait de bien sombres horizons.

Sur le pont, l'enseigne Landreth entendit annoncer à la radio que les Japonais débarquaient à Diamond Head. L'opérateur-radio La Fata, du *Swan*, capta des nouvelles plus sombres encore : ils s'étaient emparés de la plage de Waikiki.

Suivant les rumeurs dont se firent l'écho les survivants de l'*Arizona*, c'était à l'est de Oahu, et non à l'ouest que se déclenchait l'offensive nippone. À les en croire, quarante navires de débarquement japonais étaient déjà devant Barber's Point. Pire encore, ils avaient déjà pris pied sur la plage de Waianae, affirma quelqu'un au canonnier Ralph Carr, du *Tennessee*.

D'autres prétendaient que les Japonais avaient en réalité débarqué au nord. À l'arsenal naval, le travailleur civil Spagnola entendit dire que toute la côte nord se trouvait déjà entre leurs mains. À la base aérienne de Shofield, le lieutenant Roy Foster apprit qu'une offensive directe serait déclenchée d'ici une demi-heure ou une heure contre Shofield et contre Wheeler. Suivant d'autres rumeurs, Shofield était même déjà tombé.

Et comme si les débarquements navals ne suffisaient pas, on parlait aussi de parachutages massifs de soldats nippons, à la plage de Nanakuli au nord-ouest, dans les champs de cannes à sucre au sud-ouest de l'île Ford, dans la vallée de Manoa au nord-ouest de Honolulu. On les avait identifiés au Soleil Levant qu'ils portaient cousu dans le dos, ou à l'insigne rouge sur le côté gauche de la poitrine, ou sur les épaules. En tout cas, ils étaient vêtus d'une salopette bleue...

À Kaneohe, le servant de mess Walter Simmons enleva immédiatement sa salopette bleue. Le personnel reçut l'ordre de mettre des tenues kaki, mais la plupart n'en avaient pas. Ils firent bouillir du café dans d'énormes marmites, et y trempèrent leurs tenues blanches, pour les teindre en kaki... Nouvelle rumeur : les fusiliers-marins japonais qui débarquaient sur la côte ouest sont en kaki. Aussitôt, tout le monde se remet en blanc. Plus tard : les forces de débarquement à l'est sont en blanc. On se remet en bleu...

Et il ne s'agissait pas là d'hommes qui avaient perdu la tête. Ils se basaient sur les renseignements les plus sérieux... Un message officiel de l'armée américaine, capté à Kaneohe, faisait état de sampans en train de débarquer des troupes près du dépôt de munitions de la marine, de transports au nord, de huit cuirassés ennemis à 70 milles au large de Oahu. Le circuit de la marine contenait tout autant de fausses nouvelles. À bord du *Vestal*, l'opérateur-radio John Murphy nota un message annonçant que les Japonais débarquaient à Barber's Point, que les parachutistes atterrissaient dans la vallée de Nuuanu, que les réservoirs d'eau potable de Honolulu avaient été empoisonnés.

Plus tard, certains spécialistes pensèrent que les Japonais avaient pu utiliser les longueurs d'onde de l'armée et de la marine américaines pour « intoxiquer » l'adversaire. Mais les textes officiels des messages transmis indiquent que la plus grande partie, sinon la totalité d'entre eux émanait bien des Américains.

« 11 h. 46. DE COMMANDEMENT AÉRONAVAL. Troupes ennemies débarquent sur côte nord. Salopettes bleues, insignes rouges. »

« 11 h. 50. 14e RÉGION NAVALE À COMMANDEMENT FLOTTE PACIFIQUE. Parachutistes atterrissent à Barber's Point. »

Dans l'atmosphère qui régnait alors, les incidents les plus minimes pouvaient être déformés ou exagérés. L'attaque du Helm contre le sous-marin de poche devint rapidement le bombardement de la côte par une escadre nippone. Le fort Kamehameha réagit du reste en tirant à son tour sur le *Helm*.

Il en allait de même pour les parachutistes. Le

lieutenant Dickinson et l'enseigne Mac Carthy avaient dû sauter de leurs avions en flammes. Cet épisode se transforma, et l'on vit 2, 20, 200 parachutistes ennemis. L'affolement et l'imagination firent le reste. Un coup de téléphone urgent apprit au commissariat central de police de Honolulu que des parachutistes descendaient sur Saint Louis Heights, en pleine ville. L'inspecteur Jimmy Wong appela une compagnie de la garde nationale et envoya sur les lieux l'agent Albert Won. La garde nationale ne vint pas, mais Won, armé d'un revolver, trouva... un cerf-volant accroché à un arbre.

Cependant des nouvelles plus inquiétantes encore se faisaient jour. Les Japonais de Hawaii se soulevaient, et la cinquième colonne était en pleine action, apprenait-on. À 10 h. 08, un coup de téléphone informa l'inspecteur Wong que deux Japonais armés d'une caméra rôdaient autour de Wilhelmina Rise. Il envoya une voiture en patrouille, qui trouva un couple d'amoureux la main dans la main. À l'école secondaire de McKinley, on avait vu des saboteurs : deux piétons qui passaient devant un centre d'instruction militaire. Mais de nouvelles rumeurs apparaissaient sans cesse, avant qu'on n'ait eu le temps de vérifier les précédentes.

Sur le navire ravitailleur d'hydravions *Swan*, le radio La Fata apprit que des Japonais, déguisés en laitiers, circulaient dans Pearl Harbour. Des postes émetteurs, dissimulés dans les bidons à lait, renseignaient les bombardiers. Mme Mac Crimmon entendit la même histoire, mais elle se passait à Kaneohe. Suivant le soldat Sydney Davis, des camions à lait, également, circulaient sur le terrain de l'Hickam, et heurtaient violemment les queues des avions américains, qu'ils mettaient ainsi hors d'usage... Enfin, suivant la version entendue par le lieutenant George Newton, un aspirant avait tué le conducteur d'un de ces mystérieux camions à lait de Hickam, qui s'était exclamé : « Eh bien, nous autres Japonais, on vous a bien eus ! » On affirma au radio Douglas Eaker que les Japonais avaient dissimulé des mitrailleuses derrière les panneaux amovibles de ces camions, et arrosaient ainsi le terrain d'aviation...

Suivant encore d'autres rumeurs, les Japonais avaient entouré Oahu d'un cercle de sampans blancs, sans doute afin de montrer à leurs aviateurs que c'était bien là la bonne île. Des flèches avaient été taillées dans les champs de cannes à sucre, pointant vers Pearl Harbour. Évidemment, dans ces conditions, le caporal Maurice Herman ne ressentit aucune surprise quand toutes les communications furent interrompues dans son P.C. d'infanterie. Comme tous ses camarades, il était persuadé que des saboteurs japonais avaient dû couper les fils. En fait, on s'aperçut rapidement qu'un soldat, en montant sa tente, avait eu besoin d'un bout de fil de fer et s'était froidement servi du fil téléphonique...

Mais le plus inquiétant de tous ces faux bruits fut celui suivant lequel des membres de la cinquième colonne empoisonnaient l'eau. À Ewa, le dentiste de la base étendit une toile au-dessus du château d'eau, dans l'espoir de décourager les saboteurs. Mais d'autres crurent qu'il était trop tard, que l'eau était déjà contaminée. Mme Arthur Gardiner, la femme d'un marin, chercha en vain à expliquer cela à sa petite fille de deux ans, qui réclamait à boire. Un magasinier nommé Smith n'eut connaissance de cette rumeur qu'après avoir étanché sa soif. Il fut pris d'effroyables nausées, et se dit que c'était vraiment là une manière peu glorieuse de mourir pour sa patrie. À l'infirmerie de Hickam, le médecin colonel Frank Lane aborda le problème d'une manière scientifique. Il enferma dans une caisse sa chienne Saliva, et lui versa de l'eau dans une soucoupe pour voir ce qui allait se passer. Mais l'expérience échoua, car Saliva refusa de boire... Au fur et à mesure que la journée s'avançait, les gens, oubliant le danger, se décidaient à boire quand même, et, naturellement, ne s'en portaient pas plus mal.

Au milieu de cette crise d'espionnite aiguë, presque tout le monde avait oublié l'existence de M. Kita, consul général du Japon à Honolulu. Peu après le début du bombardement, Lawrence Nakatsuka, un reporter du *Star Bulletin*, alla l'interviewer, mais M. Kita se contenta de dire qu'il ne croyait pas à cette attaque. Nakatsuka regagna son bureau, et peu après repartit pour le consulat, muni d'un exemplaire de l'édition spéciale qui venait de sortir des presses. Ce serait au moins là, pensait-il, une entrée en matière.

Entre-temps, Eugène Burns, correspondant local de l'Agence Associated Press avait conseillé à la police de jeter un coup d'œil sur le consulat. Robert Shivers, l'agent à Honolulu du F.B.I. (le Bureau Fédéral d'Enquête) avait donné le même conseil à la police, après avoir tenté sans succès d'intéresser à la question les services spéciaux de l'armée et de la marine. Vers 11 h. 00, le lieutenant Yoshio Hasegawa, le seul officier de police d'origine japonaise, fit irruption dans l'enceinte du consulat, avec deux camionnettes chargées d'agents. Il y trouva M. Kita, dans la cour, en grande conversation avec Nakatsuka, qui s'efforçait toujours d'obtenir de lui une déclaration sur les événements.

Hasegawa, accompagné par Kita et les autres policiers, entra dans le bureau du consulat. Sous une porte fermée filtrait une fumée épaisse, et quelqu'un demanda s'il y avait un incendie. « Non, répondit Kita avec prudence, il y a quelque chose derrière. »

La police ouvrit la porte, et trouva deux hommes en train de brûler des papiers dans un baquet par terre. Ils éteignirent le feu, et réussirent à s'emparer d'une grande enveloppe remplie de documents. Poursuivant leur inspection, les policiers trouvèrent, derrière une autre porte, trois ou quatre hommes qui se préparaient, eux aussi, à brûler des sacs remplis de papiers déchirés.

Hasegawa disposa des sentinelles tout autour du bâtiment, enferma le personnel dans une pièce, et fit envoyer les documents au F.B.I. et à la marine. Il posa également à Kita et à ses subordonnés cette même question à laquelle Nakatsuka n'avait pu obtenir de réponse : « Avaient-ils été prévenus à l'avance de l'attaque japonaise ? » Tous affirmèrent solennellement qu'ils n'en avaient rien su.

On avait maintenant le temps d'officialiser l'état de guerre. À 11 h. 15, M. Joseph Pointdexter, le vieux gouverneur de Hawaii, âgé de soixante-douze ans, proclama au micro de la station K.G.U. « l'état d'urgence ». Si sa voix tremblait, il avait quelques excuses. Un obus de D.C.A. avait déjà explosé dans l'allée privée conduisant à son palais, et un autre dans son jardin. Au moment où il terminait son discours, un coup de téléphone des militaires exigea qu'on arrête l'émission immédiatement : on s'attendait à une nouvelle attaque. Les assistants du gouverneur exécutèrent la consigne avec une vigueur peut-être excessive : dès qu'il eut fini son discours, ils le prirent sous le bras, lui firent descendre l'escalier quatre à quatre, et le jetèrent dans sa voiture qui démarra en grande vitesse. Stupéfait, le vieux gouverneur crut qu'il venait de dire au micro quelque chose qu'il n'aurait pas dû dire, et qu'il se trouvait en état d'arrestation.

Obéissant aux ordres de l'armée les deux stations K.G.U. et K.G.M.B. interrompirent leurs émissions à 11 h. 42. C'était là une précaution fort raisonnable, destinée à empêcher les avions ennemis de se guider d'après les émissions de Hawaii. On se souvient de la manière dont le commandant Fuchida en avait tiré parti au début de la matinée. Mais cette interruption accrut encore l'inquiétude à laquelle étaient en proie les femmes des militaires, isolées dans leurs maisons et à l'affût des nouvelles. La plupart gardèrent leurs postes ouverts, afin de capter les ordres que diffusaient de temps à autre les stations commerciales, et les fausses nouvelles sur l'activité de la cinquième colonne que passait le poste de la police.

La plupart des femmes furent en conséquence plutôt soulagées lorsque, vers midi, commença officiellement l'évacuation des zones de Hickam et de Pearl Harbour. Le plan d'évacuation avait été mis au point depuis longtemps — des autobus et des taxis devaient emmener tout le monde vers les bâtiments de l'université de Hawaii, les locaux scolaires et l'association chrétienne des jeunes femmes. De là, les évacués devaient se voir dirigés sur des maisons privées, dans des secteurs « sûrs », dont les propriétaires avaient à l'avance accepté de les recueillir. Le plan était maintenant en voie d'exécution, et des camions munis de haut-parleurs sillonnaient les rues, donnant les instructions nécessaires.

À Hickam, Mme Arthur Fahrner dut engager une lutte homérique pour entasser dans la conduite intérieure familiale ses cinq enfants. Il y en avait toujours un qui ressortait et repartait au pas de course vers la maison chercher un jouet oublié. Elle appuya enfin sur le démarreur. À ce moment-là, le jeune Dan, âgé de dix ans, arriva en courant. On avait failli l'oublier.

À Shofield, un soldat d'origine chinoise vint expliquer à la famille du commandant Miller où ils devaient se rendre. Mais les Miller, craignant d'avoir affaire à un Japonais déguisé en soldat américain, l'obligèrent à crier ses instructions à travers la porte d'entrée soigneusement verrouillée.

Un certain nombre de gens étaient d'ailleurs partis sans attendre les ordres officiels. Mme Thomas Croft, la mère des petits garçons qui pêchaient à la ligne à Pearl City juste avant l'attaque, avait installé l'aîné, Don, dans la voiture, et avait démarré en direction de l'embarcadère où le plus petit, Jerry, était resté. Elle klaxonnait fiévreusement, et l'avertisseur finit par se coincer. Près de l'embarcadère, Jerry émergea d'un fourré où un caporal des « Marines » l'avait poussé juste avant d'être blessé.

La famille partit alors en direction de Honolulu. D'énormes explosions sur leur droite les effrayèrent, et ils allèrent se réfugier dans une plantation de cannes à sucre où ils passèrent deux heures accroupis et se bouchant les oreilles. Chaque fois qu'un avion passait à proximité, Mme Croft demandait à un des enfants de lever la tête pour voir si c'était un Américain. Mais c'était toujours un Japonais.

Chacun avait sa propre conception des précautions à prendre. Mme Gerald Jacobs, elle aussi femme d'un marin de Pearl City, arrêta sa voiture, et enfouit sa tête dans un fourré, littéralement comme une autruche. Mme John Fischer resta chez elle, comme son mari le lui avait recommandé. Mais au bout d'un certain temps, elle ne put plus y tenir, passa un manteau et fit de l'auto-stop sur la route de Honolulu. Des amis la recueillirent et la mirent à l'abri.

Dans leur fuite, les gens emmenaient avec eux les objets les plus hétéroclites. Mme Joseph Coates se munit d'un pain et d'une boîte de thon, mais oublia l'ouvre-boîte. Mme Arthur Gardiner prit une couverture, une boîte de jus d'orange, un couteau de boucher et un livre illustré de Walt Disney, *Pinocchio*. Avec ses deux enfants, elle rejoignit plusieurs familles qui avaient trouvé refuge dans une tranchée de chemin de fer. Les mères se relayèrent pour lire à haute voix *Pinocchio*, s'interrompant de temps en temps pour applaudir quand un avion japonais était abattu, ou pour regarder avec inquiétude un chasseur japonais passant en rase-mottes. Elles s'efforçaient de lire d'une voix calme.

À un moment, des travailleurs agricoles, des sang-mêlé nippo-hawaiiens, s'approchèrent du petit groupe en courant le long de la tranchée. Les femmes, convaincues que les Japonais de Hawaii avaient capturé l'île, crurent leur dernière heure arrivée. Mme Gardiner saisit son couteau de boucher, décidée à défendre chèrement la vie de ses enfants. Mais les travailleurs agricoles, persuadés de leur côté qu'ils allaient être massacrés par les blancs exaspérés, s'enfuirent terrifiés dans les champs.

Car parmi la population d'origine japonaise comme parmi celle d'origine américaine circulaient les bruits les plus fantaisistes. Au début de la matinée, ils avaient cru que l'armée se préparait à les tuer jusqu'au dernier. Cette version fut légèrement modifiée plus tard : l'armée ne tuerait plus que les hommes, et laisserait les femmes mourir de faim.

Quelques incidents n'avaient d'ailleurs été évités que de justesse. Des marins amenant dans un camion des munitions vers Pearl Harbour avaient rencontré sur une paisible route en pleine campagne cinq civils japonais. Le conducteur stoppa son camion, et l'un des marins proposa de tuer les cinq hommes. Au début, ses camarades se montrèrent plus ou moins d'accord avec cette idée. Mais soudain quelqu'un s'écria : « Nous ne sommes pas des bêtes. Ces gens-là n'ont rien à voir avec l'attaque. » Les marins, un peu penauds, remontèrent dans le camion et repartirent. Toute cette scène s'était déroulée sans que les Japonais aient ouvert la bouche.

C'est dans cette atmosphère qu'un jeune Japonais

nommé Tadao Fuchikami, vêtu d'une chemise verte et d'un pantalon kaki, enfourcha une motocyclette et se dirigea vers Fort Shafter, à 11 h. 15.

Fuchikami était télégraphiste à la compagnie de câbles R.C.A., et sa matinée avait commencé comme toutes les autres. Il avait pointé à 07 h. 30, tué le temps durant quelques minutes, puis avait pris un paquet de télégrammes à distribuer. Ils avaient été répartis dans des casiers correspondant aux quartiers. Par hasard, Fuchikami tomba sur le casier de Kalihi, qui comprenait Fort Shafter. Il organisa sa tournée d'après les adresses, et décida de s'arrêter d'abord chez un docteur de Vineyard Street, et ensuite seulement à Fort Shafter. Il n'y avait aucune indication d'urgence ou de priorité sur le télégramme dont l'enveloppe portait ces seuls mots : « Général commandant en chef. »

En commençant sa tournée, il savait déjà qu'il y avait la guerre. L'opérateur de la R.C.A. avait parlé de combats aériens, il pouvait voir la D.C.A. au-dessus de Pearl Harbour, et il se doutait bien que les avions étaient japonais. Mais guerre ou pas guerre, il avait sa tournée à faire.

Ce matin-là, on ne pouvait guère aller vite. Les routes étaient terriblement encombrées. À proximité de Fort Shafter, il se heurta à un barrage de la garde nationale. Les gardes lui conseillèrent de rester chez lui, et lui dirent qu'ils avaient failli le prendre pour un parachutiste japonais. Il en fut tout ébahi. Il ne s'était pas rendu compte que l'uniforme des télégraphistes ressemblait à celui — supposé — des parachutistes nippons. À partir de ce moment-là, il se sentit terriblement voyant.

Il tomba sur un second barrage, de policiers celui-là, dans Middle Street. On lui dit que seul le personnel militaire pouvait passer sur la route. Il poussa sa moto le long du trottoir, et, après avoir parlementé avec les policiers et leur avoir montré l'enveloppe de son télégramme, put continuer son chemin. Il n'eut, ce qui est assez surprenant, aucune difficulté à entrer dans le fort, les sentinelles n'ayant même pas vérifié ses papiers. Il arriva directement à la salle des transmissions et y remit son télégramme.

Celui-ci fut déchiffré et remis au commandement d'armes à 14 h. 58, et, quelques minutes plus tard, il était entre les mains du général Short. Celui-ci en fit faire une copie qu'il envoya à l'amiral Kimmel. Le télégramme émanait du général Marshall (alors chef d'état-major général) et avait été expédié par le centre de transmission de l'armée à Washington, via R.C.A., le samedi 6 décembre à 12 h. 01 (heure de l'est des États-Unis), c'est-à-dire à 06 h. 31, le dimanche, à l'heure de Hawaii.

Il avait été réceptionné par le bureau de la R.C.A. de Honolulu à 07 h. 33, vingt-deux minutes exactement avant le début de l'attaque. Le général Marshall y prévenait le général Short que les Japonais allaient présenter un ultimatum le samedi à 13 h. 00, heure de Washington, soit le dimanche 07 h. 30, heure de Hawaii, et ajoutait cette précision : « Nous ignorons la signification de l'heure de présentation de cet ultimatum, mais nous vous invitons à demeurer sur vos gardes. »

L'amiral Kimmel dit au messager de l'armée qui lui apportait le télégramme que celui-ci n'avait plus le moindre intérêt, et le jeta dans la corbeille à papier.

Ce qui l'aurait intéressé à ce moment-là, c'eût été de savoir ce que préparaient les Japonais.

Ils avaient totalement disparu. Et personne ne semblait avoir la moindre idée ni de la direction d'où ils étaient arrivés, ni de celle vers laquelle ils étaient repartis.

Au début, Kimmel avait tendance à croire qu'ils étaient plutôt venus du nord. Il avait toujours pensé qu'une attaque venue du nord était plus vraisemblable qu'une attaque venue du sud. À 09 h. 42, il envoya même un message radio à l'amiral Halsey à bord de l'*Enterprise*, pour lui dire qu'il y avait « quelques raisons de croire à la présence de forces ennemies au nord-ouest ».

Mais bientôt, tout sembla prouver le contraire. À 09 h. 50, le commandant en chef de la flotte du Pacifique signala deux porte-avions ennemis à 30 milles au sud-ouest de Barber's Point. Le *Minneapolis*, qui se trouvait dans le secteur en question, et sachant qu'il n'y avait là aucun bâtiment japonais, tenta bien de démentir, en annonçant : « Pas de porte-avions en vue. » Mais ce message une fois déchiffré devint : « Deux porte-avions en vue[1]. »

À 12 h. 50, on signalait quatre transports de troupes japonais au sud-ouest à 13 h. 00, un navire ennemi à quatre milles au large de Barber's Point. Un relèvement, opéré sur un porte-avions japonais qui avait brièvement rompu le silence radio, pouvait être interprété comme venant directement aussi bien du nord que du sud. L'officier de transmission lança une pièce en l'air et le sort désigna le sud.

L'amiral Halsey se souvenait que deux porte-avions japonais avaient récemment été signalés à Kwajalein, ce qui semblait confirmer les maigres indications recueillies dans la journée. En conséquence, les porte-avions américains concentrèrent leurs recherches de la flotte ennemie dans la zone située au sud et au sud-ouest de Oahu.

Les bâtiments qui avaient réussi à sortir de Pearl Harbour s'efforcèrent, eux aussi, de suivre l'ennemi à la trace. Ayant reçu un message signalant sa présence au large de Barber's Point, l'amiral Dracmel fit hisser le pavillon « concentration et attaque ». Le nombre des bâtiments capables de se « concentrer »

1. En anglais, « No carriers » devint aisément « Two carriers » (N.D.T.).

n'était guère élevé, le *Saint louis,* le *Detroit*, le *Phoenix* et une douzaine de contre-torpilleurs, mais tous foncèrent bravement en avant. Naturellement, ils ne trouvèrent rien, et, en approchant de l'escadre de Halsey, furent eux-mêmes pris pour des navires japonais par un des avions de reconnaissance de l'*Enterprise.* Cette confusion fut à l'origine de nouveaux rapports signalant la présence de l'ennemi au sud-ouest, et quelques-uns de ces rapports furent retransmis à l'amiral Draemel. De sorte qu'à un certain moment, ses navires se cherchaient eux-mêmes.

Les reconnaissances aériennes ne donnaient pas de meilleurs résultats. Au début, les seuls appareils disponibles étaient de vieux avions amphibies non armés, basés à l'île Ford. Ils appartenaient à « l'escadrille de serviture numéro 1 », dont les missions consistaient normalement à transporter le courrier, remorquer des cibles et photographier les manœuvres. Mais comme il n'y avait pas d'autres avions en état de prendre l'air, il fallait bien s'en contenter. Ce n'était évidemment pas là une mission bien enthousiasmante, même lorsqu'on eut armé les équipages de fusils pour leur protection...

« Il me faut trois volontaires, vous, vous et vous... », s'écria le premier maître G.R. Jacobs en désignant du doigt trois radios de l'escadrille. C'est ainsi que l'opérateur radio Harry Mead se trouva brusquement installé dans un de ces avions, en plein ciel. Ils ne virent rien, mais purent au moins établir qu'il n'y avait aucun navire japonais à proximité de Oahu. Ce qui n'arrêta d'ailleurs pas les faux bruits.

Au début de l'attaque, l'armée ne put faire décoller aucun avion de reconnaissance, mais, vers le milieu de la matinée, le général Frederick Martin prévint la deuxième flottille de l'aéronavale qu'il tenait des bombardiers à la disposition de la marine. Il se conformait ainsi aux directives de « coopération inter-armes » établies par l'état-major. Mais personne ne lui donna de mission.

Cependant le général Martin entendit dire quelque part que deux porte-avions japonais croisaient au sud de Barber's Point, et envoya de sa propre initiative quatre bombardiers légers sur les lieux à 11 h. 27. Résultat négatif. Il envoya alors d'autres avions un peu plus au nord. Toujours rien. Dans l'après-midi, il fit un nouvel essai, cette fois à la demande de la marine : il envoya six forteresses volantes rechercher un porte-avions que l'on croyait être à 65 milles au nord de Oahu. Eux aussi revinrent bredouilles.

À l'île Ford, neuf des appareils partis le matin de l'*Enterprise* n'avaient pas été touchés. À toute vitesse l'enseigne Dobson fit faire le plein d'essence et charger à bord de chacun d'eux une bombe de cinq cents livres.

Pendant ce temps-là, les pilotes installés au P.C. de la flottille se racontaient leurs aventures, et faisaient fête à leurs camarades qui arrivaient tardivement après leurs atterrissages forcés dans divers coins de Oahu. Le lieutenant Dickinson apparut l'un des derniers, et fut très frappé de l'atmosphère d'étroite camaraderie qui s'était établie. Un officier supérieur, connu comme étant d'ordinaire très à cheval sur la discipline, entoura de son bras l'épaule de Dickinson, et s'écria : « Que quelqu'un apporte donc une tasse de café à cet officier... » Il produisit même à cet effet une pièce de cinq cents. Il faut dire que ce relâchement ne dura guère, et qu'au bout de quelques jours, les choses étaient revenues à la normale.

À 12 h. 10, les avions étaient prêts à prendre l'air, et sous le commandement du capitaine de corvette Hopping, le groupe effectua une large reconnaissance dans un rayon de 200 milles au nord. Ils étaient enfin partis dans la bonne direction, mais trop tard.

Tandis que les recherches se poursuivaient, on négligeait les indications les plus sérieuses. Personne n'écouta le major Landon lorsqu'il raconta qu'il avait croisé des avions japonais filant vers le nord au moment où il approchait des côtes à bord de sa forteresse volante. Le lieutenant Patriarca avait, lui aussi, vu des Japonais volant vers le nord, mais il ne pensait qu'à prévenir l'*Entreprise* de ce qui se passait. On savait bien des choses au centre radar d'Opana, mais les services radar de l'armée restèrent muets lorsque la marine les interrogea. Apparemment tout le monde avait oublié que le radar peut déterminer non seulement la direction d'où viennent des avions avant l'attaque, mais aussi celle vers laquelle repartent ces avions après l'attaque. Opana, dont le personnel se trouvait à présent au complet, nota donc soigneusement que les avions japonais repartaient vers le nord, mais, dans la fièvre qui régnait, personne ne songea à utiliser cette indication.

À vrai dire, le commandant Fuchida ne s'était nullement soucié de brouiller la piste lorsqu'il avait dirigé le vol de retour vers les porte-avions. Les provisions d'essence avaient été calculées trop juste pour cela. Dès que les bombardiers avaient terminé leur mission, ils retrouvaient les chasseurs à vingt milles au nord-ouest de Kaena Point, et repartaient en formation avec eux. Dépouvus de radio-compas, les chasseurs étaient obligés de se guider sur les bombardiers pour retrouver les porte-avions.

Fuchida lui-même resta un peu à la traîne. Il voulait prendre quelques photos, survoler les différentes bases américaines et se rendre compte ainsi de l'étendue des dégâts. Malgré la fumée, qui le gêna considérablement, il put se convaincre que quatre cuirassés avaient été coulés, et trois autres sérieusement endommagés. Il était plus difficile de se faire une idée des résultats obtenus sur les terrains d'aviation, mais le fait qu'on ne voyait aucun Américain en vol paraissait encourageant.

Au moment où il s'éloignait seul de Oahu vers 11 h. 00, un chasseur s'approcha de lui en balançant les ailes. Il eut un instant d'inquiétude, puis aperçut le Soleil Levant. C'était l'un des chasseurs du *Zuikaku* qui était resté, lui aussi, à la traîne. Fuchida pensa qu'il pouvait bien y en avoir d'autres dans le même cas, et retourna au lieu du rendez-vous pour une ultime inspection. Il y trouva en effet un second chasseur qui tournait en rond. Et derniers des visiteurs à quitter les lieux, les trois avions mirent le cap vers le nord-ouest.

À bord de l'*Akagi*, l'amiral Kusaka faisait de son mieux pour aider ses pilotes. Bien qu'il ait reçu l'ordre de ne pas approcher à moins de 200 milles de Pearl Harbour, il poussa jusqu'à 190. Il savait bien en effet quelle différence une distance de 5 ou de 10 milles peut représenter pour un avion à court d'essence ou endommagé par le feu ennemi ; et il voulait donner aux chasseurs le maximum de chances.

Ayant ainsi fait tout ce qu'il pouvait faire, l'amiral, sur la passerelle du porte-avions, scrutait anxieusement l'horizon vers le sud. Peu après 10 h. 00, il aperçut au loin les premiers avions, volant en groupes, par paires ou isolément Sur le *Shokaku*, le lieutenant Ebina vit d'abord arriver un chasseur isolé, rasant les flots comme une hirondelle. Il réussit à se poser de justesse sur le pont du porte-avions.

Les réservoirs d'essence étaient à peu près à sec. Chacun avait les nerfs tendus à l'extrême, et le temps pressait. Dès qu'ils avaient atterri, on poussait de côté les avions pour dégager le pont. On ne compta cependant que peu d'accidents sérieux. Un chasseur, atterrissant sur le *Shokaku*, tomba dans la mer, mais le pilote s'en tira sans une égratignure. À court d'essence, le lieutenant Yano dut faire un amerrissage forcé à côté du porte-avions. Mais il fut hissé à bord avec son équipage, trempé mais indemne.

Un certain nombre d'hommes manquaient à l'appel : Ippei Goto, qui, quelques heures auparavant, avait étrenné son uniforme d'enseigne, ne rejoignit jamais le *Kaga*. Le lieutenant Fusata Ida, amateur de base-ball, ne regagna pas le *Soryu*, et le lieutenant Suzuki ne revit pas l'*Akagi* — c'est lui qui s'était écrasé contre le *Curtiss*. Il manquait en tout 29 avions, et 55 hommes.

Mais 324 avions étaient revenus, follement acclamés par les marins qui entouraient les pilotes dès qu'ils s'extirpaient de leur carlingue. Les félicitations pleuvaient de toutes parts. Chacun demandait au lieutenant Hashimoto qui regagnait épuisé sa cabine du *Hiryu* comment les choses s'étaient passées, ce qu'il avait fait, ce qu'il avait vu...

Maintenant que c'était fini, beaucoup de pilotes se sentaient curieusement déprimés. Certains suppliaient qu'on leur permette de faire une seconde tentative, parce qu'ils avaient raté leurs objectifs. D'autres se déclaraient mécontents de n'avoir réussi à placer leurs bombes qu'à proximité immédiate de leurs objectifs. Le capitaine Amagai, officier de vol du *Hiryu*, s'efforça de leur remonter le moral, en leur déclarant que des coups de ce genre causaient souvent des dégâts considérables. Il eut ensuite une idée encore plus brillante pour les dérider : « Nous ne rentrons pas à Tokyo, affirma-t-il. Nous fonçons sur San Francisco. »

Ils pensaient au moins lancer une seconde attaque sur Oahu. Au moment même où le capitaine Amagai remontait le moral des pilotes, il faisait faire le plein d'essence et réarmer leurs avions. Lorsque le lieutenant Hashimoto annonça à ses hommes qu'ils allaient probablement repartir, il crut apercevoir quelques visages un peu crispés, mais, dans l'ensemble, tout le monde paraissait enthousiaste. À bord de l'*Akagi*, on alignait déjà les avions pour un nouveau décollage quand le commandant Fuchida, dernier de tous, se posa à 13 h. 00.

Sur la passerelle, Fuchida tomba en pleine discussion. Il n'était pas si certain que ça, après tout, que l'on allait repartir. Les chefs de l'expédition interrompirent leur discussion pour écouter le rapport de Fuchida. L'amiral Nagumo en tira, avec une certaine solennité, cette conclusion : « Ceci semble donc indiquer que les résultats recherchés ont été obtenus. »

Cette déclaration était révélatrice de l'état d'esprit de l'amiral. Il s'était toujours montré opposé à cette opération, mais s'était incliné devant la décision prise, et avait appliqué toute son énergie à obtenir les meilleurs résultats possible. Mais, s'en étant sorti, il n'avait nulle envie de tenter à nouveau le sort.

Le commandant Fuchida se défendit pied à pied. Il restait encore bon nombre d'objectifs tentants, et les Américains n'avaient pratiquement plus aucun moyen de défense. Bien mieux, une nouvelle attaque pouvait ramener vers Pearl Harbour les porte-avions ennemis. Par ailleurs, si les Japonais rentraient par les îles Marshall, plutôt que par la route du nord, ils risquaient de surprendre les porte-avions américains par-derrière. Là quelqu'un souleva une objection sérieuse : les pétroliers avaient été envoyés au nord à la rencontre de la flotte, et il était impossible de les dérouter à temps vers le sud. Fuchida ne se laissa pas décourager. De toute façon, affirma-t-il, on pouvait lancer une seconde attaque contre Oahu.

C'est l'amiral Kusaka qui mit fin à la discussion.

Peu avant 13 h. 30, le chef d'état-major se tourna vers Nagumo, et annonça ce qu'il avait l'intention de faire, sous réserve de l'accord de son chef : « L'attaque est terminée, dit-il. Nous nous retirons. »

« Faites ! », répondit Nagumo.

À Kure, l'amiral Yamamoto sentait instinctivement ce qui allait se passer. Il était assis, dans la salle des opérations, et son impassibilité contrastait avec la fièvre de son état-major. Tout le monde s'attendait, étant donné les succès obtenus lors de la première attaque, à en voir déclencher une seconde. Seul Nagumo demeurait muet. Il ne connaissait que trop bien le caractère du commandant de l'expédition. Soudain, il murmura à voix très basse : « L'amiral Nagumo va se retirer ! »

Quelques minutes plus tard, un message venait confirmer la prémonition de Yamamoto. À l'autre extrémité du Pacifique, le mât principal de l'*Akagi* arbora soudain les pavillons ordonnant un changement de cap. À 13 h. 30, l'énorme flotte tourna sur elle-même et commença son long voyage de retour vers le Japon à travers les immensités du Pacifique Nord.

Au sud de Oahu, l'enseigne Sakamaki poursuivait ses efforts, mais en dépit des vœux solennels qu'il avait échangés avec le matelot Inagaki, leur sous-marin de poche ne s'était guère rapproché de Pearl Harbour : Un choc rapide contre un rocher avait mis hors de service un des tubes lance-torpilles. Vers midi, ils heurtèrent un nouveau rocher et endommagèrent le second tube. Ils réussirent à remettre le sous-marin à flot, mais ils étaient maintenant désarmés.

« Qu'allons-nous faire, lieutenant ? demanda Inagaki. — Nous allons écraser le sous-marin contre un cuirassé ennemi, de préférence le *Pennsylvania*, répondit le jeune enseigne. Et si nous survivons au choc, nous allons tuer le plus d'Américains possible. »

À la grande surprise de Sakamoto, Inagaki se déclara d'accord. Il prit fermement en main la barre de direction, et cria : « En avant toutes ! » Mais cela fut en vain, et la malchance continua à les assaillir tout au long de l'après-midi. Sakamaki se souvient vaguement d'efforts désespérés toujours sans aucun résultat. Le gouvernail se bloquait, la pression montait à plus de vingt kilos, des vapeurs âcres rendaient l'atmosphère irrespirable. Suffoquant, les yeux remplis de larmes, Sakamaki avait à demi perdu conscience. De temps à autre, il entendait dans l'obscurité les sanglots d'Inagaki, et lui-même pleurait également.

« Essayons encore une fois ! » cria-t-il, mais soudain il aperçut Diamond Read à bâbord. Le soleil se couchait, et ils avaient dérivé à 10 bons milles de Pearl Harbour. Sakamaki avait perdu la partie, et le savait. Rassemblant ses dernières forces, il mit le cap sur le lieu de rendez-vous fixé avec le sous-marin Mère 1-24, au large de l'île Lanai. Après quoi il perdit connaissance.

XI

12 heures 00 — 17 heures 30

On n'était sûr que d'une chose durant cet après-midi du dimanche, à Pearl Harbour : que les Japonais allaient revenir.

Le *Pennsylvania*, toujours dans la cale sèche numéro 1, pointa ses grands canons de quatorze pouces vers la sortie du chenal. Sur un quai d'amarrage, un matelot du *California* s'installa devant une vieille mitrailleuse Lewis en compagnie d'un officier qu'il venait de rencontrer. Dans l'île Ford, des équipes improvisées travaillèrent fiévreusement jusqu'à la nuit à remplir des sacs de sable.

À l'arsenal naval, soldats, travailleurs civils et simples passants s'efforçaient de mettre en état de combattre les bâtiments intacts. Un officier du *Pennsylvania* demanda à Harry Danner, un travailleur de l'arsenal, de l'aider à trouver des volontaires pour charger des munitions. Il y avait bien là quelques manœuvres qui traînaient, mais, même le 7 décembre, certains principes demeuraient en vigueur et l'officier ne se sentait pas le droit de donner des ordres à des civils. En conséquence, les deux hommes partirent ensemble, Danner servant d'« ambassadeur » à l'officier. Ils eurent vite fait de recruter suffisamment de volontaires qui organisèrent une chaîne entre trois baleinières chargées et la soute à munitions du *Pennsylvania.* Plus d'un millier de sacs de poudre furent ainsi portés à bord du cuirassé.

Danner se dirigea ensuite vers le *Honolulu*, afin d'aider à remonter ses moteurs. Il avait perdu un soulier dans la bagarre, et marchait pieds nus en compagnie d'un de ses camarades, à travers l'arsenal. Des sentinelles aux nerfs tendus arrêtaient tous les civils, et ils durent discuter longuement avant de réussir à passer. Mais à 22 h. 30, le travail était achevé sur le *Honolulu.*

Sur un quai voisin, on montait les batteries de D.C.A. à bord du *San Francisco.* Ce travail, qui en temps normal aurait pris trois semaines, fut achevé en une journée.

Au milieu des coups de marteau et du sifflement des foreuses pneumatiques, un phonographe braillait à la cantine de la jetée. La plupart du temps il jouait un disque intitulé « Je ne veux pas incendier le monde... »

Il y avait aussi de la musique à bord du *Maryland.* La fanfare du cuirassé s'était bravement installée sur le gaillard d'avant, tandis que les canonniers attendaient de pied ferme la prochaine vague d'avions japonais. Sur le *Tennessee* également, on se tenait prêt à accueillir les visiteurs. Mais tous les autres bâtiments de « l'allée des cuirassés », les plus beaux fleurons de la flotte américaine vingt-quatre heures plus tôt, étaient hors de combat.

L'*Arizona* gisait là, amas incandescent de ferraille tordue. Un petit bateau vint se ranger le long de son gaillard d'arrière... Le lieutenant K.S. Masterson grimpa à bord et amena le drapeau déchiré et taché d'huile qui flottait encore à sa poupe. Il voulait le conserver. Le quartier-maître Edward Vecera remplaça le pavillon du *West Virginia* avec un drapeau propre emprunté à un autre bâtiment. Il demanda à un officier ce qu'il devait faire de l'étamine sale et déchirée qu'il venait d'amener. L'officier répondit que tous les pavillons de combat étaient normalement envoyés à Annapolis où ils étaient exposés dans les vitrines du musée mais que cette fois-ci — eh bien, il vaudrait peut-être mieux le brûler. Vecera suivit ce conseil.

Sur ce gaillard d'avant du *West Virginia*, un petit groupe d'officiers dévoués combattait encore les incendies qui faisaient rage. Le verre fondu des hublots rappela au capitaine Doir Johnson certaines peintures de Salvador Dalí. La température était si élevée que les officiers durent finalement battre en retraite vers 17 h. 00. Mais il restait des survivants à bord du *West Virginia.* Tout au fond du navire, trois matelots étaient enfermés, loin de tout secours possible, dans la chambre des pompes, et survécurent jusqu'à la veille de Noël.

La situation se présentait d'une manière différente sur l'*Oklahoma.* Sur la coque émergée du cuirassé, de petits groupes d'hommes suivaient à la trace les coups réguliers frappés de l'intérieur, cognaient eux-mêmes des messages d'encouragement, et réclamaient toujours plus d'outils pour percer les tôles. À une douzaine d'emplacements différents de l'énorme quille, des équipes du *Maryland*, du navire de renflouement Widgeon, du *Rigel,* du *Solace*, de l'arsenal de l'*Oklahoma* même s'étaient mis à l'œuvre.

Le travail ne consistait pas simplement à percer un trou pour y faire passer les survivants. Les coups frappés retentissaient contre la quille, et se répercutaient à travers les espaces vides entre les parois, rendant presque impossible d'en localiser l'origine. Les sauveteurs devaient faire appel à leur expérience et, une fois à l'intérieur de la coque, rechercher la source du bruit. Il leur fallait parcourir à l'aveuglette un univers fantomatique et renversé, taper à coups de marteau et attendre qu'on réponde, jusqu'à ce qu'ils aient réussi à trouver le lieu exact où étaient enfermés les survivants. Alors seulement un ultime découpage des tôles permettait de les libérer.

Il y eut d'amères déceptions. Les deux premiers hommes furent remontés asphyxiés, la lampe à acétylène ayant absorbé l'oxygène du réduit où ils se trouvaient. On alla alors chercher du matériel de découpage pneumatique, moins rapide mais peut-être moins dangereux. Malheureusement cette méthode comportait un autre danger : l'air à l'intérieur s'échappait plus vite que le trou ne pouvait être foré. Au fur et à mesure que la pression d'air baissait, l'eau montait, et les hommes risquaient de mourir noyés. Les sauveteurs tentèrent de boucher provisoirement les trous avec des chiffons, des mouchoirs, tout ce qui leur tombait sous la main, pour empêcher l'air de s'échapper, mais ne réussirent pas toujours.

Les équipes avaient perdu toute notion du temps. Du *Maryland*, on leur envoya à manger, et les hommes, dépourvus de fourchettes ou de plats, trempèrent dans les marmites leurs mains noires d'huile et de crasse et étendirent sur du pain ce rata qui leur parut délicieux.

À l'intérieur de l'*Oklahoma*, des hommes attendaient. Huit d'entre eux enfermés dans la salle du servo-moteur du gouvernail organisèrent une curieuse démocratie. Avant toute décision dont leur vie pouvait dépendre, ils votaient. Ils décidèrent ainsi d'abord de mettre en commun tous leurs vêtements et leurs matelas — ils dormaient normalement dans cette pièce — afin de boucher un manche à air qui laissait continuellement entrer de l'eau. Ils examinèrent ensuite toutes les issues possibles, mais chaque fois qu'ils ouvraient une porte, un torrent d'eau pénétrait dans la pièce ; ils votèrent en conséquence de rester tranquilles et d'attendre que l'on vienne les chercher. Ils trouvèrent des outils, et frappèrent contre les parois, mais, la plupart du temps, ils se contentaient d'attendre. Le temps ne leur fit pas défaut pour méditer, et William Beal, un jeune matelot de dix-sept ans, pensa à tous ses péchés.

Un peu plus en avant, dans une coursive menant à la soute à munitions de la tourelle numéro 4, trente hommes attendaient, eux aussi. Noirs d'huile, n'ayant conservé que leurs shorts, ils n'étaient munis que d'une unique lampe électrique. Leur seul espoir d'évasion semblait être un passage vertical donnant sur le pont supérieur, qui se trouvait naturellement juste sous leurs pieds. On pouvait imaginer qu'un homme, retenant sa respiration, parvienne à plonger le long de ce passage profond d'une dizaine de mètres, traverser le pont et remonter à la surface à côté du navire. Mais il fallait nager longtemps sous l'eau. Plusieurs tentèrent cet exploit, mais, à bout de souffle, durent y renoncer et regagner leur prison. Un seul réussit, un nommé Weisman, natif de Brooklyn qui savait à peine nager et n'avait rien d'un sportif. Il expliqua aux équipes de secours où se trouvaient ses camarades, et on commença à découper les tôles pour les libérer.

Mais les prisonniers dans la coursive l'ignoraient naturellement. Tout ce qu'ils savaient, c'était que l'air devenait irrespirable, et que l'eau montait lentement au fur et à mesure qu'il se raréfiait. Vers la fin de l'après-midi, il ne restait que dix survivants, et le matelot Stephen Young paria qu'ils mourraient asphyxiés plutôt que noyés. Son camarade Wilber Hinsperger releva le pari.

Ils avaient perdu tout espoir de s'en sortir vivants. Tous pourtant demeurèrent calmes. Ils ouvrirent l'armoire des objets trouvés du navire, qui se trouvait dans leur coursive, et y prirent des matelas et des couvertures. Puis ils se couchèrent pour attendre la fin.

Les heures s'écoulèrent lentement. Et tout à coup, miracle ! ils entendirent très loin au-dessus d'eux des coups de marteau qui se répercutaient dans les profondeurs du navire. Au début, le bruit variait en intensité, mais bientôt, il se rapprocha. Young s'empara alors d'une clef anglaise et frappa en morse : S.O.S. Enfin les coups résonnèrent juste au-dessus d'eux, et quelqu'un à travers la cloison leur demanda si un trou pouvait être foré sans danger. D'une seule voix, ils répondirent oui, mais il s'en fallut de peu qu'ils ne soient noyés, car à travers l'ouverture l'air s'échappa en sifflant tandis que le niveau d'eau montait rapidement. Des mains secourables se tendirent vers eux, et des marins et des ouvriers souriants les hissèrent sur la quille. Ils émergèrent à l'air frais pour apprendre à leur grand étonnement que l'on était lundi.

Les sauveteurs leur offrirent des oranges et des cigarettes, et quelques minutes plus tard le capitaine Kenworthy, le second de l'*Oklahoma*, vint prendre de leurs nouvelles. Il n'avait pas quitté la quille du cuirassé depuis la fin de l'attaque, dirigeant les travaux de sauvetage, et ne s'y résigna que trente-six heures après que le cuirassé se fut retourné, au moment où le dernier des 32 rescapés eut été extirpé de ce cercueil d'acier.

Mais n'anticipons pas. Dans l'après-midi du dimanche, les premiers survivants sortaient à peine. Trois hommes, dont l'un tenait à la main un ballon de basket-ball, furent hissés hors d'un caisson. Ce ballon provoqua d'ailleurs les commentaires les plus variés. Certains prétendirent que le rescapé l'avait conservé comme réserve d'oxygène, d'autres qu'il voulait s'en servir comme bouée de sauvetage, d'autres enfin qu'il était simplement passionné de basket-ball. L'enseigne Mandell entendit même dire que le matelot, en attendant les sauveteurs, avait fait quelques passes avec son ballon...

Il y avait aussi des hommes bloqués à l'intérieur du *California* qui donnait fortement de la bande. Vers 15 h. 00, on tira d'un compartiment inondé d'huile deux ambulanciers. Étendus sur le pont, on aurait dit de lamentables chiffons d'huile noirâtre. Un second maître pharmacien s'approcha en appelant les noms d'hommes de son unité qui manquaient encore. L'un des paquets se leva alors d'un bond en criant : « C'est moi ! »

D'autres membres de l'équipage livrèrent une lutte sans espoir pour maintenir le *California* à flot. Le navire annexe *Swan* vint se placer bord à bord, et mit ses pompes en action, tandis qu'on tentait de boucher les trous béants creusés par les torpilles à l'aide de matelas. Mais rien n'y fit. Un plongeur du bâtiment de renflouement Widgeon annonça qu'il avait vu un trou « gros comme une maison ». Quelqu'un lui ayant demandé si un paillet Makaroff pourrait être placé utilement, il répondit : « Je ne vois pas qu'on en fasse d'aussi grands que ça. »

Finalement, on se résigna à laisser couler le navire, mais on parvint, grâce à des inondations provoquées, à le maintenir droit tandis qu'il s'enfonçait doucement dans la vase du port.

Le *Nevada*, lui aussi, reposait par le fond, et, dans ce qui avait été la cabine du commandant, un sabre tordu et noirci était demeuré accroché derrière une table à moitié brûlée. Lorsque, plus tard, le commandant Scanland l'y trouva, il la prit dans ses mains, et se tournant vers le premier-maître Jack Haley, qui se trouvait là, dit : « Chef, mon père et ma mère m'ont donné ce sabre quand je suis sorti de l'école navale il y a bien des années. »

Haley pouvait comprendre, mieux que n'importe qui, toute l'émotion refoulée du commandant, et son regret de n'avoir pas été à son bord pendant l'attaque. En effet, le vieil officier marinier avait fait toute sa carrière sur le *Nevada*. Il ne put refouler ses larmes.

En bas, dans la salle des opérations du *Nevada*, l'enseigne Merdinger se cramponnait obstinément à son poste. Par l'eau qui s'infiltrait dans la cabine, il savait que le pont au-dessus de lui était immergé. Et les écouteurs muets à ses oreilles lui faisaient comprendre qu'il restait bien peu de monde à bord. Sa présence dans ce centre d'information n'avait plus guère d'utilité, et pourtant il répugnait à partir. À 5 h. 00, un flot d'eau jaillissant à travers la porte l'y força. Par téléphone, il reçut l'ordre de remonter. Dans l'eau jusqu'aux genoux, les hommes débranchèrent soigneusement les téléphones, enroulèrent les fils et replacèrent les écouteurs sur leurs crochets. Mais après cet étalage de sang-froid, le naturel reprit ses droits et c'est quatre à quatre que les hommes remontèrent l'échelle de la coursive.

Sur le pont, on se préparait pour le dernier quart d'heure. On arma le Marine Payton Mac Daniel d'un fusil hors d'usage et de deux cartouches. Une escouade de « Marines » alla sur la plage installer des positions pour des mitrailleuses et des mortiers datant de la Première Guerre mondiale, que l'on avait hâtivement sortis des caisses. Le plan de défense était extrêmement simple : tenir sur le navire le plus longtemps possible, puis poursuivre la résistance dans les collines.

À Hickam, on se disposait également à tenir jusqu'au bout. On creusait des emplacements pour des canons périmés et quelques mitrailleuses près des décombres d'un café. Les hommes prirent soin d'ailleurs d'amener dans la position les bouteilles de vin et de bière trouvées dans les ruines.

Au cercle des officiers, où chacun s'attendait à

l'invasion japonaise pour la nuit, on avait aussi fait main basse sur les vivres et les boissons. Au poste de commandement de la base, le colonel Cheney Bertholf brûlait les archives. Même le commandant de la base, le colonel Farthing, était convaincu que les Japonais allaient s'emparer de Hickam. C'est ce qui expliquait, selon lui, pourquoi ils n'avaient bombardé ni les pistes de décollage ni la tour de contrôle. L'adjudant chef Mannion était tellement sûr que la base allait tomber aux mains de l'ennemi qu'il décida de partir pour Shofield, pensant que, là au moins, il pourrait se rendre utile et poursuivre le combat.

En fait, une intense activité régnait à Shofield. La plupart des unités d'infanterie avaient maintenant rejoint les positions de défense qui leur avaient été assignées tout autour de l'île... Le 98e régiment d'artillerie côtière à Wheeler, le 28e régiment d'infanterie à Waikiki, le 27e un peu plus au sud le long de la côte, d'autres unités sur la côte nord, sur les collines dominant Pearl Harbour et sur les bases au sud-est.

En voyant arriver les longues colonnes de troupes à Kaneohe vers 14 h. 30, le serveur de mess Walter Simmons eut la certitude qu'elles avaient dû évacuer Shofield. Mais lui aussi était prêt à se battre jusqu'à la mort. Il avait maintenant un vieux fusil Springfield, et était bardé de bandes de cartouches. Il avait l'impression qu'il devait ressembler au célèbre bandit mexicain Pancho Villa.

Les hommes se creusaient des abris individuels — Simmons creusa le sien dans la piscine inachevée des officiers — et truffèrent de nids de mitrailleuses la colline escarpée au centre de la base. Au coucher du soleil, Kaneohe attendait de pied ferme l'attaque suivante.

Le général Short avait installé son P.C. à cinq kilomètres de Fort Shafter, dans un profond tunnel servant à stocker des munitions — un endroit parfait pour tenir contre un assaut imminent. Le général y avait emménagé dans la matinée, avec la suite habituelle d'officiers d'état-major et de services de transmissions.

Le lieutenant Samuel Bradlyn avait été chargé d'assurer la liaison avec Hickam et, tout en installant son matériel, il regardait le général Sliort, le général Martin et un certain nombre d'officiers supérieurs en train de conférer. Ils paraissaient terriblement inquiets et, pour la première fois, Bradlyn se rendit compte que même les généraux n'étaient pas à l'abri des faiblesses humaines, et qu'il leur arrivait de marcher de long en large en se demandant ce qu'ils allaient faire.

Ils étaient en tout cas décidés à une chose : imposer la loi martiale. Le général Short alla trouver le vieux gouverneur Poindexter pour lui en parler peu après 12 heures. Le gouverneur essaya de gagner du temps ; il savait bien qu'il faudrait en arriver là, mais cette décision lui était extrêmement pénible. Finalement, il annonça qu'il devait en référer à la Maison-Blanche, et qu'il donnerait sa réponse d'ici une heure. Il demanda la communication téléphonique avec le Président des États-Unis à Washington à 12 h. 40. Et pour tout arranger, l'opérateur, obéissant aux consignes de la censure navale, lui demanda avec insistance : « De quoi allez-vous parler ? » Le gouverneur avait déjà été, en fait, dépouillé de tous pouvoirs.

Le Président se montra parfaitement conciliant, et convint qu'en effet la loi martiale semblait une bonne solution. Short revint alors à la charge, exigeant une décision immédiate : les débarquements japonais, déclara-t-il, avaient peut-être déjà commencé, les bombardements aériens faisaient sans doute présager une attaque générale, il ne pouvait courir de risques...

Le gouverneur finit par signer la proclamation, et la loi martiale fut annoncée à 16 h. 25.

De toute façon, les civils se considéraient déjà comme étant en première ligne. Edgar Rice Burroughs, le créateur de « Tarzan » se joignit à un groupe d'hommes qui creusaient des tranchées le long du rivage. D'autres s'intégrèrent à la garde territoriale, formée autour de l'école des officiers de réserve de l'université de Hawaii. Un sergent arriva dans un command-car pour prendre en charge le deuxième bataillon en voie de formation. Il se révéla prodigieusement débrouillard, et resta un mois avec cette unité à laquelle il réussit à procurer couvertures, gamelles et fusils. Mais un jour, il fractura la porte d'une boutique d'alcool pour trouver du whisky ; ce fut sa perte. Car lorsque le propriétaire de la boutique déposa plainte, on s'aperçut qu'il n'avait jamais été sergent : c'était un soldat puni, libéré pendant l'attaque des locaux disciplinaires de Shofield. Il s'était empressé de voler un uniforme de sergent, puis le command-car et avait continué à voler pour satisfaire les besoins les plus urgents du bataillon.

Presque chaque groupe organisé de Oahu se trouva quelque chose à faire. Les boy-scouts combattirent les incendies, servirent du café, portèrent des messages. Les anciens combattants de l'« American Legion » effectuèrent des patrouilles et gardèrent les routes. L'un d'eux enfila péniblement son vieil uniforme de 1917. Il ne savait plus comment attacher ses bandes molletières et fit une scène à sa femme à ce sujet. Elle lui dit de la laisser tranquille et d'aller combattre ses vieux ennemis, les Allemands.

Un comité spécial de citoyens de Oahu avait passé des mois à se préparer pour ce genre de catastrophes : on se rendit compte alors que cette prévoyance n'avait pas été inutile. Quarante-cinq camions, appartenant à des entreprises de blanchisserie ou à des compagnies laitières, partirent à toute vitesse pour Hickam transformés en ambulances. Un médecin, le docteur Pinkerton, fonça vers la chambre froide de la Compagnie Électrique de Hawaii et y prit les ampoules de plasma qu'avait stockées la « Banque du sang » de la Chambre de Commerce. Il les distribua aux divers hôpitaux, puis demanda des donneurs de sang à la radio. Plus de cinq cents volontaires se présentèrent dans l'heure. Une ménagère, Mme Hayter, fut horrifiée quand on lui offrit une rasade de whisky après la prise de sang. Une prostituée bien connue se présenta elle aussi. Elle ne pouvait donner son sang, mais était prête à faire n'importe quoi. On la chargea de nettoyer les bouteilles et les éprouvettes, tâche dont elle s'acquitta avec un zèle à toute épreuve.

Médecins civils et infirmières se rassemblèrent à l'hôpital militaire Tripler. Parmi eux se trouvait le docteur John Moorhead, un célèbre chirurgien de New York venu à Honolulu pour faire une série de conférences. Environ trois cents médecins, dont la moitié appartenait à l'armée et à la marine, avaient assisté à sa première conférence le jeudi précédent. Ancien médecin-major de la Première Guerre mondiale, il était resté très attaché à l'armée, et n'avait pas oublié d'inviter les médecins militaires de Hawaii, tout heureux d'entendre un de leurs collègues devenu célèbre et qui connaissait d'expérience les problèmes de la médecine en campagne.

Le vendredi soir, Moorhead devait parler des « lésions du dos », mais à la dernière minute, on changea le programme, et sa conférence porta sur « le traitement des blessures ». On aurait difficilement pu trouver, deux jours avant l'attaque japonaise, un sujet plus opportun.

Le dimanche matin à 09 h. 00, il devait parler « des brûlures ». Pendant qu'il avalait son petit déjeuner, il entendit une canonnade dans le lointain et, en traversant le hall de l'hôtel, il apprit que les Japonais avaient attaqué Pearl Harbour. Il en parla au docteur Hill, qui l'emmenait dans sa voiture à la salle de conférence, mais celui-ci répondit : « Oh, on raconte toutes sortes d'histoires dans ce pays ! »

Le bulletin d'information de 08 h. 40, qu'ils écoutèrent dans la voiture, les convainquit néanmoins l'un et l'autre. La salle de conférence était presque vide. Seuls cinquante médecins, tous civils au lieu des trois cents prévus, étaient présents. Des obus commencèrent à tomber au moment où le docteur Moorhead montait à la tribune, et il déclara avec satisfaction que ce vacarme lui rappelait Château-Thierry en 1918. À ce moment le docteur Jesse Smith, un médecin du pays, fit irruption dans la salle en criant que l'on demandait douze chirurgiens d'urgence à l'hôpital militaire de Tripler. Cette fois, il n'en fallut pas plus : l'orateur et ses auditeurs partirent ensemble au grand galop.

Le docteur Moorhead et son équipe de chirurgiens passèrent les onze heures suivantes à opérer presque continuellement. Une fois au cours de l'après-midi, Moorhead descendit prendre à la hâte quelque nourriture au réfectoire, et y rencontra le colonel Miller, médecin-chef de l'hôpital. Il lui laissa entendre, peut-être avec quelque insistance, qu'il y aurait sans doute avantage à le mobiliser. Miller répondit qu'il y réfléchirait et, quelques minutes plus lard, passa la tête par la porte de la salle d'opérations, et annonça : « Vous êtes dans l'armée à présent. » Le docteur Moorhead se sentit plus militariste que jamais. Il avait été fait colonel en deux heures sans la moindre formalité d'incorporation.

Il se dévoua à sa tâche avec une compétence et un optimisme très réconfortants pour les blessés. C'est ainsi qu'il dit à un jeune soldat : « Fiston, tu as bigrement souffert, et tu n'as pas fini d'en voir. Il va falloir que je t'ampute d'un pied. Mais il y a bien des choses qu'on peut faire à cloche-pied... »

Le soldat Edward Iveka avait, lui aussi, une jambe en piteux état, et lorsqu'il sortit de l'anesthésie, il n'osait pas regarder, de peur de s'apercevoir qu'on la lui avait coupée. Finalement, il rassembla tout son courage et regarda : la jambe était toujours là.

Quels que soient leurs sentiments, les hommes faisaient montre d'un calme et d'une patience extraordinaires. Au Queen's Hospital, le docteur Pinkerton commença à expliquer à un homme légèrement blessé qu'il devrait soigner d'abord les cas les plus graves. Le blessé l'interrompit et dit tranquillement : « Faites ce que vous pouvez. Je sais qu'il y a d'autres gens qui attendent. »

Parfois cependant de légers différends s'élevaient. À l'infirmerie de Hickam, le médecin-capitaine Hoffman dit à un infirmier de doser soigneusement un verre d'alcool pour un major grièvement blessé. Celui-ci s'impatienta et cria : « Ne lui dites pas ce qu'il faut mettre dans le verre. Remplissez-le... » À l'hôpital naval, un marin atteint d'une grave blessure à l'estomac voulait un jus d'orange, mais le médecin, craignant le pire, ordonna qu'on lui donne plutôt un verre d'eau. Comme le patient protestait, le médecin chuchota à l'oreille de l'infirmière de lui donner son jus d'orange, car il était de toute façon condamné. Mais le marin s'écria : « Docteur, je vous ai entendu, et je veux quand même mon jus d'orange. » Grâce sans doute à cette obstination, il était tiré d'affaire une semaine plus tard.

Sur le navire hôpital *Solace* le radio Glenn Lane vit en s'éveillant un infirmier se pencher sur lui avec un bol de soupe. C'était un Philippin, et Lane eut un sursaut d'horreur : il se crut prisonnier des Japonais.

Beaucoup d'hommes, même indemnes, se voyaient d'ailleurs déjà aux mains de l'ennemi. Le premier-maître Peter Chang s'imaginait attelé à un pousse, le pompier John Gobidas pensait qu'il serait ou tué ou capturé, et le second-maître électricien James Power imaginait les tortures mentales raffinées dont les Orientaux, croyait-il, ont la spécialité. Il se souvint alors qu'il était du Texas, et se jura de rester digne de ce grand État.

En fait, la seule véritable « invasion » des îles hawaiiennes par les Japonais était déjà en train. Elle commença vers l'heure du service religieux, à Niihau, l'île la plus occidentale de la chaîne hawaiienne. Niihau appartenait entièrement à la famille Robinson, qui en avait fait un pâturage de moutons et de bœufs, et en avait jalousement préservé le caractère purement polynésien. Visiteurs, confort moderne, fusils, téléphones et radios en étaient strictement bannis. Une fois par semaine, un bateau venait de Kaui, à vingt milles de là, et déposait des provisions au débarcadère de Kii, à l'extrême nord de l'île. Il n'y avait pas d'autres moyens de communication avec le monde extérieur. En cas d'urgence, on devait allumer un feu sur une colline en vue de Kaui ; sans quoi, on considérait que tout allait bien.

Et effectivement tout allait bien ce dimanche matin. La population se préparait à entrer dans l'église de Puuwai, à une vingtaine de kilomètres au sud-ouest du débarcadère de Kii. Puuwai était le seul village de l'île, un assemblage de petites maisons enfouies au milieu des cactus et des palmiers. Tout le monde habitait Puuwai, à l'exception de la famille

Robinson dont la maison se trouvait à Kie Kie, à deux milles de là.

Mais soudain, deux avions passèrent au-dessus du village. L'un d'entre eux traînait une longue fumée noire, et son moteur faisait des ratés. Tout le monde vit des cercles rouges sous les ailes. Et ces humbles villageois, ces bergers et ces vachers, tenus soigneusement à l'écart des problèmes du monde extérieur, flairèrent le danger beaucoup plus vite que leurs voisins de Oahu, plus à la page. Beaucoup d'entre eux reconnurent les insignes japonais. Quelques-uns devinèrent même qu'il y avait une attaque sur Pearl Harbour.

Vers 14 h. 00, l'un des avions reparut, rasant les arbres et les haies. Le pilote repéra un terrain à peu près plat et se posa lourdement. L'avion rebondit sur des rochers, défonça une barrière et s'immobilisa près de la maison de Hawila Kaleohano.

Les hostilités s'engagèrent immédiatement. Hawila se précipita vers l'avion et ouvrit l'habitacle. Le pilote fit mine de prendre son revolver. Hawila s'en empara le premier, et obligea le pilote à sortir de l'avion. Le Japonais chercha quelque chose à l'intérieur de sa chemise, mais Hawila y porta la main, et en ramena des papiers et une carte.

En quelques instants, toute la population se rassemblait autour de l'avion, et assaillait de questions le pilote. Celui-ci hochait la tête, pour montrer qu'il ne comprenait pas l'anglais, qu'il ne parlait que le japonais.

Il n'y avait qu'une chose à faire : envoyer chercher Harada, l'un des deux Japonais habitant Niihau. C'était un « Nisei[1] » de trente ans, arrivé dans l'île l'année précédente, pour servir aux Robinson de factotum et aussi pour aider à s'occuper de leurs abeilles. L'apiculteur en titre était l'autre Japonais,

1. Première génération de Japonais née en territoire américain.

un vieil homme nommé Sintani qui habitait l'île depuis de longues années.

Même avec l'aide d'Harada, on ne tira pas grand-chose du pilote. Il raconta qu'il avait survolé Honolulu, mais démentit qu'il y ait eu une attaque aérienne. Il se montra extrêmement vague quant aux raisons de son voyage, et à l'origine des traces de balles qui trouaient son avion. Finalement, les villageois décidèrent de le garder à vue jusqu'à l'arrivée de M. Robinson, qui devait regagner l'île le lundi à bord du bateau hebdomadaire venant de Kaui. Lui saurait comment disposer de ce visiteur encombrant.

Le lundi matin, on emmena le pilote jusqu'au débarcadère, où l'on attendit en vain toute la journée. Mais le bateau ne vint pas. On recommença à attendre le mardi, sans plus de succès. Le mercredi et le jeudi s'écoulèrent, toujours sans bateau, et les villageois commencèrent à s'inquiéter sérieusement. Harada proposa alors une solution brillante : pourquoi ne pas transférer le pilote de Puuwai à sa maison de Kie Kie, apaisant ainsi les inquiétudes du village. Cette offre fut acceptée d'enthousiasme.

Le vendredi, on jugea qu'il était temps d'allumer le signal d'alarme en haut de la colline. À Kie Kie, le pilote demeura sous la garde d'un seul Hawaiien nommé Haniki. Depuis un ou deux jours, le Japonais avait commencé à sortir de son mutisme. Il avait d'abord reconnu qu'il savait lire et écrire l'anglais, quoiqu'il ne sache pas le parler. Puis, il admit qu'il y avait bien eu un raid sur Pearl Harbour. Mais il ajouta qu'il se plaisait dans cette île, et espérait pouvoir s'y installer après la guerre. Apparemment, ce n'était pas un si mauvais type !

Il demanda à voir Harada, et Haniki l'emmena vers les ruches. Les deux Japonais conférèrent pendant quelques minutes, puis les trois hommes allèrent s'installer dans un hangar voisin, où l'on gardait les filets et les ruches.

Et tout à coup, Haniki se trouva mis en joue par deux armes. Harada avait volé dans la maison de Robinson un revolver et un fusil de chasse, et les avait cachés dans ce hangar. La bataille de Niihau venait de commencer.

Les deux Japonais enfermèrent Haniki dans le hangar et foncèrent à travers les broussailles vers la route. Là, sous la menace du revolver, ils arrêtèrent une charrette, en firent descendre une Hawaiienne et ses sept enfants, et obligèrent une jeune fille montée sur le cheval à les conduire à Puuwai le plus vite possible. Avant d'arriver au village, ils abandonnèrent leur véhicule et coururent jusqu'à la maison de Hawila pour récupérer les papiers du pilote. Mais Hawila avait pris la fuite en les voyant arriver.

Harada et l'aviateur nippon fouillèrent en vain la maison. Ils essayèrent, sans succès, d'enrôler dans leurs rangs Sintani, l'autre Japonais de Niihau, et se mirent ensuite à fouiller toutes les maisons du village. À plusieurs reprises, ils réclamèrent Hawila, menaçant de tirer si on ne le leur ramenait pas. Mais c'était là une menace assez vaine, car la plupart des villageois se cachaient, eux aussi, dans les champs. Ils trouvèrent bien une vieille femme, Mme Huluoulani, qui lisait tranquillement sa bible. Elle accueillit leurs menaces avec une parfaite sérénité, et ils finirent par la laisser tranquille.

Mais ils eurent alors une meilleure idée. Ils démontèrent la mitrailleuse de l'avion japonais et repartirent, ainsi armés, dans le village. Cette fois, ils crièrent qu'ils tueraient tout le monde s'ils ne trouvaient pas Hawila. À la nuit tombée, ils se mirent à piller sérieusement les maisons. Ils fouillèrent de fond en comble la maison de Hawila, et finirent par y trouver le revolver et la carte du pilote, mais aucune trace des documents. Ils continuèrent leurs recherches toute la nuit, fouillant chaque maison du village. À l'aube du samedi 13 décembre, ils retournèrent une dernière fois à la maison de Hawila et, l'ayant fouillée une fois de plus en vain, ils la brûlèrent, dans l'espoir de détruire ainsi les papiers.

Pendant tout ce temps, sauf au milieu de la nuit, les deux Japonais étaient constamment observés par des villageois tapis dans les broussailles. La population ne s'était nullement résignée à la conquête de Puuwai par l'ennemi, mais, après tout, les Japonais étaient en possession des seules armes de l'île. Une conférence d'état-major prit place dans un boqueteau de cactus ; on y décida de mettre les femmes et les enfants à l'abri dans des grottes de la montagne, puis de retourner vers le village et d'essayer de capturer les deux hommes à la faveur de l'obscurité. Le plan échoua, mais Beni Kanahali et un autre Hawaiien réussirent néanmoins à s'emparer de toutes les munitions de la mitrailleuse.

Entre-temps, Hawila était monté à la hâte sur la colline pour faire allumer le feu. Mais devant la gravité de la situation, on décida que le signal ne suffirait pas, et six hommes coururent jusqu'à l'embarcadère, sautèrent dans une baleinière et partirent chercher de l'aide.

Ils firent force de rames pendant seize heures, et arrivèrent à Kaui le samedi après-midi à 15 h. 00. Ils alertèrent Robinson. Celui-ci prévint les autorités et, bientôt, Robinson, les six Hawaiiens et un détachement de l'armée cinglaient vers Niihau à bord du ravitailleur de phares *Kukui.*

Mais bien avant qu'ils n'arrivent, l'ennemi avait subi une défaite écrasante. Vers 07 h. 00, Beni Kanahali, encouragé par son succès dans l'affaire des munitions, regagna furtivement le village pour voir ce qui se passait, accompagné par sa femme. Tous deux furent rapidement capturés, et une fois de plus on réclama Hawila. Mais Beni en avait vraiment assez. Il invita Harada à prendre le revolver du pilote avant qu'il ne blessât quelqu'un. Harada s'y étant refusé, Beni sauta lui-même sur le pilote. Sa femme lui prêta main forte, et Harada se joignit à la mêlée, traînant la femme à l'écart. Celle-ci se défendit en griffant et en mordant. Beni cria à Harada de la laisser tranquille, sans quoi il aurait affaire à lui. Le pilote dégagea son bras et tira à trois reprises sur Beni, le blessant au bas-ventre, à l'estomac et à la cuisse.

D'après la légende, c'est à ce moment-là que Beni se mit vraiment en colère. Il crut alors qu'il allait mourir, et décida de tuer le pilote avant qu'il ne soit trop tard. Avec un sourd gémissement, il prit l'homme par le cou et une jambe, comme il l'avait fait bien souvent avec un mouton, et lui écrasa la tête contre le mur. Harada vit ce qui venait de se passer, lâcha la femme de Beni, appuya le canon du fusil de chasse contre sa propre poitrine et fit feu.

XII

Après 17 heures 30

Le soleil se couchait lorsque l'enseigne Jacoby, ayant renoncé à éteindre les incendies qui consumaient le *West Virginia*, descendit à terre en chancelant de fatigue. Comme il se dirigeait vers la cantine de l'île Ford pour y avaler un sandwich, un clairon sonna « aux couleurs ». Il se mit au garde-à-vous. Cette simple cérémonie, qui prenait place comme toujours en dépit des désastres de la journée, vint lui rappeler que le pays continuait à vivre, qu'il avait déjà résisté à bien des coups dans le passé, et pouvait en supporter d'autres.

L'infirmière Valera Vaubel, elle aussi, se mit au garde-à-vous, tandis que le drapeau descendait lentement du mât de l'hôpital naval. Puis, spontanément, tout le monde se mit à acclamer les couleurs. Ce soir-là du moins, on était encore libre.

Mais personne ne savait pour combien de temps. Certainement pas l'enseigne Cleo Dobson, assis sur la terrasse de la cantine de l'île Ford, en train de discuter de l'avenir avec quelques-uns des pilotes de l'*Enterprise*. Ils ne réussirent à tomber d'accord que sur un point : ils se trouvaient en première ligne, dans une véritable guerre. Quelqu'un parla de nourriture, et cela parut une bonne idée à ces hommes qui n'avaient rien mangé depuis qu'ils avaient décollé de l'*Enterprise* à 06 h. 00 du matin. Ils fouillèrent la cuisine déserte et trouvèrent des entrecôtes dans le frigidaire. Il n'y avait ni sel ni ustensiles de cuisine, mais ils firent cuire la viande sur un grand feu, mangèrent assis sur la terrasse. La nuit était tombée, malgré tout les flammes dansantes de l'*Arizona* éclairaient suffisamment le paysage.

Un peu plus loin dans « l'allée des cuirassés », des chalumeaux oxhydriques brillaient sur la quille renversée de l'*Oklahoma*, mais le reste du port était plongé dans l'obscurité. À bord des navires, tous feux éteints en raison du black-out, les équipages pouvaient enfin se reposer, et réfléchir. Sur le *Raleigh*, les événements s'étaient succédé avec une telle rapidité que le matelot Charles Knapp n'avait pas eu le temps d'avoir peur. Maintenant qu'il n'était plus de service, toutes sortes de pensées l'assaillaient. Reverrait-il jamais sa mère et sa sœur, assisterait-il encore à un match de football, ferait-il encore la cour à une jeune fille, boirait-il encore une bière, conduirait-il encore une voiture ?

Les perspectives n'étaient guère réjouissantes. Knapp entendit dire que les parachutistes japonais avaient été lâchés sur la plage de Waikiki, que de nouveaux débarquements avaient pris place sur la côte nord... et comme s'il ne suffisait pas des Japonais, que c'étaient des Allemands qui pilotaient leurs avions. Cela ne souffrait aucune discussion. Un marin jura qu'il avait vu lui-même un des pilotes capturés, un grand Prussien blond, et qu'il l'avait entendu parler allemand.

Sur la canonnière *Sacramento*, l'histoire du pilote blond trouva également crédit, mais il s'agissait apparemment d'un Japonais blond. D'autres hommes parlèrent de Japonais géants, absolument différents de ceux que l'on connaissait.

Les rumeurs suivant lesquelles les pilotes étaient des Japonais nés à Hawaii ou éduqués aux États-Unis paraissaient plus terrifiantes encore. Un marin du

Dobbin entendit dire que le pilote japonais dont l'avion s'était écrasé contre le *Curtiss* portait au doigt la bague de l'université d'Oregon. Un « Marine » eut des détails encore beaucoup plus précis : il s'agissait, lui expliqua-t-on, d'un étudiant sorti en 1937 ou 1938 de l'université de la Californie du Sud. À Fort Shafter, le lieutenant William Keogh apprit que tous les pilotes portaient des chandails aux initiales de l'École secondaire McKinley. La cause américaine semblait désespérée. Et les soldats de Fort Shafter étaient tous disposés à croire l'histoire de l'amiral japonais, qui avait parié, disait-on, qu'il dînerait le dimanche suivant à l'hôtel « Royal Hawaian » de Honolulu.

Qu'y avait-il pour arrêter les Japonais ? Suivant d'autres rumeurs, l'escadre des porte-avions, dont l'*Enterprise*, avait été coulée. Le *Lexington* et le *Saratoga*, suivant une autre version, avaient également été envoyés par le fond.

Et ce n'était pas des États-Unis eux-mêmes que l'on pouvait attendre des secours, puisque, suivant encore une autre série de faux bruits, le canal de Panamá avait été bombardé et bouché, ce qui coupait évidemment de la côte ouest l'escadre de l'Atlantique. Bien pire, la Californie elle-même avait été attaquée. Sur l'*Helena*, le bruit se répandit que San Francisco était bombardé ; sur le *Tennessee*, qu'une flotte de débarquement japonais croisait au large de la ville ; sur le *Rigel*, que San Francisco était déjà tombé aux mains des Japonais qui avaient établi une tête de pont. Il pouvait même s'agir d'une attaque combinée, puisque, suivant la version circulant à bord du *Pennsylvania*, une seconde force nippone avait occupé Long Beach plus au sud, et marchait sur Los Angeles.

Il y avait aussi quelques nouvelles plus encourageantes. Des marins du *California* apprirent que les

Russes avaient bombardé Tokyo. Sur le *West Virginia*, on prétendait que les Japonais manquaient à tel point d'acier qu'ils garnissaient leurs bombes de coquilles d'huîtres. Mais c'est sans doute l'équipage du *West Virginia* qui se fit l'écho de la meilleure fausse nouvelle de la journée : tous les survivants auraient droit à trente jours de permission.

Le haut-parleur du *Maryland* annonça que deux porte-avions japonais avaient été coulés. Une version plus spectaculaire de cette prétendue victoire circula parmi les blessés de l'hôpital naval : le *Pennsylvania* avait capturé deux porte-avions, et les remorquaient vers Pearl Harbour. On se demande d'ailleurs comment cette histoire pouvait trouver crédit, alors que le *Pennsylvania* était bien visible dans sa cale sèche.

On préférait croire, à bord du *Nevada*, que les Japonais avaient effectivement débarqué à Oahu, mais que les Américains se défendaient pied à pied. L'équipage reçut l'ordre de surveiller particulièrement tous mouvements suspects dans les plantations de cannes à sucre juste derrière le rivage. Personne ne pensa à prévenir que le détachement de « Marines » du bord patrouillait justement dans ce secteur. Au moment où le soldat Payton Mac Daniel était en train de ramper dans les cannes à sucre, un marin sur le cuirassé cria qu'il voyait quelque chose bouger. Un projecteur troua l'obscurité, et Mac Daniel s'immobilisa, priant pour ne pas être pris dans le faisceau lumineux. Heureusement, d'autres « Marines » comprirent ce qui se passait, et crièrent aux canonniers de ne pas tirer. Mais ce fut un moment terrifiant, car, cette nuit-là, on avait tendance à tirer d'abord et à poser les questions ensuite.

À la base sous-marine, une sentinelle tira si souvent sur l'homme qui devait venir le relever que l'on finit par le laisser à son poste toute la nuit. Une fusillade partie de l'arsenal naval détruisit un petit projecteur que les hommes qui installaient les batteries anti-aériennes sur le *San Francisco* allumaient de temps à autre. À chaque coup de feu répondait une salve, jusqu'à ce que, d'un bout à l'autre du port, tout le monde soit en train de tirer au hasard. Une sentinelle hurla à un soldat qui dormait sur la banquette d'une voiture près de l'embarcadère : « Tu veux t'y mettre ! » Le soldat se réveilla et, par la fenêtre ouverte de la voiture, tira cinq coups de pistolet en l'air. Après quoi il se rendormit.

La fièvre ne tarda pas à se communiquer à la base de Hickam, où les équipages des forteresses volantes essayaient de dormir. Ils avaient eu une dure journée : d'abord quatorze heures de vol depuis San Francisco, puis la remise en état des avions, l'installation de fortune au milieu des décombres, la lutte contre les moustiques et contre l'humidité du soir, et maintenant cela... Au milieu du crépitement des salves, quelqu'un cria : « Les Japonais débarquent ! » Les hommes épuisés sautèrent à bas de leurs couchettes et virent le ciel zébré par les traçantes. Et pour ajouter à la confusion, un sergent se mit à hurler parce qu'il avait atterri dans un buisson d'épines.

On ne dormit guère plus à Wheeler. On avait évacué les casernements, et on s'était installé comme on avait pu. Vingt hommes du détachement des pompiers s'étaient couchés sur le plancher du salon de leur chef. Chaque fois qu'ils entendaient crier, les hommes se levaient précipitamment et allaient s'installer dans leur voiture-incendie, se baissant pour échapper aux balles des sentinelles. À l'extrémité est du terrain, le 98ᵉ d'artillerie côtière ouvrit un véritable tir de barrage, juqu'à ce que le 97ᵉ eût téléphoné de Shofield pour se plaindre que les éclats d'obus éventraient leurs tentes.

Shofield prit d'ailleurs sa revanche lorsque le

27e d'infanterie tira au jugé sur le détachement de garde du 98e. Deux autres unités de Shofield engagèrent une bataille rangée de part et d'autre d'une tranchée. Mais un des soldats, éraflé par une balle, se mit à jurer en un langage qui ne pouvait être du japonais, et mit ainsi fin aux hostilités. Une sentinelle, faisant montre d'un sang-froid remarquable, demanda trois fois le mot de passe, et finit par tuer une des mules qu'il était chargé de garder.

La garde à Aliamanu tua un daim, et on compta cette nuit-là autour de Kaneohe un nombre record de cadavres de mangoustes. Vers 01 h. 30, quelqu'un — on ne sait pas qui lança une fusée éclairante au-dessus de Kaneohe, et d'un bout à l'autre de la base retentirent les cris de « Parachutistes ». Le fait que personne ne les voyait, et qu'on entendait aucun bourdonnement d'avion ne changea rien à l'affaire. L'île appartenant au millionnaire Chris Halmes, située au milieu de la baie, constitua un objectif de choix. On crut d'abord que des parachutistes y avaient atterri, puis que les serviteurs japonais s'étaient révoltés. À tout hasard, quelques hommes s'embarquèrent à bord d'un des rares avions encore en état de voler, et allèrent consciencieusement mitrailler l'île.

À Ewa, une sentinelle aperçut la lueur d'une allumette, et faillit tuer le lieutenant-colonel Larkin, commandant de la base, qui allumait distraitement une cigarette, oubliant les ordres qu'il avait lui-même donnés.

Il était fatal que cette pétarade finisse par faire quelques victimes. Un vieux pêcheur japonais nommé Sutematsu Kida, son fils Kiichi et deux de leurs compagnons furent tués par un avion à bord de leur sampan au large de Barber's Point. Partis avant le début de l'attaque, ils rentraient tranquillement en ramenant leur poisson, ignorant sans doute toujours que la guerre avait éclaté. Dans Pearl Harbour même, une mitrailleuse du *California* tua accidentellement deux survivants de l'*Utah*, qui se terraient sur le pont de l'*Argonne* durant l'une des fausses alertes.

Le lieutenant Fritz Hebel, qui dirigeait vers 19 h. 30 une formation de six chasseurs de l'*Enterprise* vers l'île Ford sentait bien le danger de ce genre de confusion. Les chasseurs, après avoir en vain cherché un porte-avions japonais, avaient regagné l'*Enterprise* après la nuit tombée. Il était trop tard pour qu'ils puissent se poser sur le porte-avions, et ils avaient reçu l'ordre de se diriger sur Oahu. Ils étaient maintenant enfin sur le point d'y arriver.

Prudemment, Hebel demanda à l'île Ford des instructions d'atterrissage. On lui dit d'allumer ses feux de position, de survoler le terrain et de rompre ensuite la formation pour se poser.

Dans le port, un certain nombre de canonniers reçurent l'ordre de suspendre le tir pendant que des avions « amis » atterrissaient. Les chasseurs traversèrent le chenal sud et obliquèrent vers les montagnes. Et soudain, un canon commença à tirer, puis deux, et bientôt, de presque tous les bateaux de la rade de Pearl Harbour on ouvrit le feu sur les avions. Des traceuses illuminèrent la nuit. Sur l'île Ford, un officier courait désespérément d'un canon à l'autre en criant : « Arrêtez le tir... Arrêtez le tir... Ce sont nos avions... »

Là-haut, Hebel hurla dans son microphone : « Mon Dieu ! qu'est-ce qui se passe ? » L'enseigne James Daniel plongea vers les projecteurs à l'extrémité sud-ouest du terrain, espérant ainsi aveugler les artilleurs. L'opération fut couronnée de succès, et il fit demi-tour en direction de Barber's Point. Mais ses camarades eurent moins de sang-froid ou moins de chance. L'enseigne Herb Menges perdit le contrôle de son appareil, qui alla s'écraser sur une auberge de Pearl City. L'enseigne Éric Allen tomba lui aussi près de Pearl City. Il réussit à sauter en parachute, mais fut criblé de balles avant d'avoir atteint le sol. Le lieutenant Wheeler se tua en essayant de poser son appareil endommagé. L'enseigne Cayle Hermann réussit à sortir d'une vrille au-dessus de l'île Ford et s'en tira. L'enseigne Flynn sauta en parachute au-dessus de Barber's Point, et fut recueilli plusieurs jours plus tard.

Il ne restait plus que Daniels qui tournait en rond au-dessus de Barber's Point. Après une dizaine de minutes, le tir au sol s'arrêta, et il redemanda froidement des instructions d'atterrissage. Cette fois, elles furent différentes ; on lui dit d'approcher du terrain le plus vite et le plus bas possible, tous feux éteints. Puisqu'on ne voulait pas de lui en ami, il devait essayer d'arriver en ennemi. Il réussit ainsi à se poser sans dommage.

Sur le ravitailleur *Whitney* le matelot Waldo Rathman se sentit tout ragaillardi. Cette fois, on avait montré aux Japonais de quel bois on se chauffait... Les tirs étaient parfaitement ajustés, et quelle joie on éprouvait à voir ces avions aller s'écraser en flammes. Quelle revanche des humiliations de la matinée...

Dans sa maison, près de Makalapa, Mme Jeanne Gardiner, femme d'un officier de marine, ne pouvait apprécier la précision de la D.C.A., mais elle priait pour que les avions ennemis soient abattus. Non loin de là, Mme Mitta Townsend, elle aussi femme d'un officier de marine, priait pour que la lune, qui baignait Oahu d'une lumière trop révélatrice, disparaisse derrière les nuages.

Mme Joseph Galloway priait également en marchant de long en large dans la maison d'une amie à Honolulu. Elle n'avait aucune idée de ce qui était arrivé depuis le moment où son mari l'avait quittée le matin pour rejoindre son bord. Sa radio portative annonçait de temps en temps des alertes aériennes, mais restait muette la plupart du temps. En fond sonore, une station de Salt Lake City diffusait de la musique de danse.

Cherchant à tout prix à obtenir des informations, un certain nombre de femmes commirent l'erreur d'écouter des stations japonaises. C'est ainsi que Mme Beecher crut que le contre-torpilleur *Flusser*, sur lequel était embarqué son mari, avait été coulé avec toute l'escadre du *Lexington*.

Mme Arthur Fahrner, femme du gérant du mess de Hickam, n'avait pas besoin d'écouter les informations de la radio. Elle n'était que trop bien renseignée. Quelqu'un lui avait dit qu'une bombe était tombée en plein sur le mess, tuant tous ses occupants. Elle se considérait déjà comme veuve, et se demandait comment elle allait ramener ses cinq enfants aux États-Unis et les élever.

La famille Fahrner avait été évacuée, et hébergée, avec beaucoup d'autres, dans une salle de concert de l'université de Hawaii, et, malgré les efforts de la Croix-Rouge, il n'y avait pas assez de lits pour tout le monde. Dans la nuit du dimanche au lundi, Mme Fahrner et trois autres mères réunirent leurs dix enfants entre elles, pour les empêcher au moins de se perdre. Ce fut une longue nuit de pleurs, d'insomnie, d'expéditions vers les toilettes en piétinant sur les autres dormeurs.

Une petite fille perdit son petit chat, auquel elle avait accroché une clochette autour du cou. Le chat se promenait dans l'obscurité en faisant sonner sa clochette, tandis que l'enfant le poursuivait à tâtons en l'appelant. Les heures s'écoulèrent lentement. Les enfants finirent par s'assoupir les uns après les autres, mais les mères ne purent trouver le sommeil. Parfois, elles se parlaient à voix basse. La plupart du temps, elles demeuraient silencieuses, se tenant par la main et attendant avec impatience les premières lueurs de l'aube.

Celles qui avaient été évacuées sur le tunnel du dépôt de la marine de Red Hill passèrent une nuit plus active. Elles s'efforcèrent de protéger leurs enfants des nuages de moustiques qui descendaient par les manches à air. Puis une jeune mère s'aperçut qu'elle avait oublié le biberon pour son bébé d'un mois. On essaya en vain de lui faire boire son lait dans une tasse, puis un sucrier. Finalement une femme eut une idée, inspirée des récits de la vie des pionniers du Far West : elle fit sucer au nouveau-né un chiffon bien propre trempé dans le lait.

Des âmes généreuses ouvrirent toutes grandes leurs portes à d'autres évacués. La femme d'un capitaine de frégate à Waipahu recueillit ainsi une trentaine de femmes et d'enfants, dont Don et Jerry Morton avec leur mère, Mme Croft. Les grandes personnes s'efforçaient d'avoir l'air gai, mais des rumeurs terrifiantes circulaient. On disait que la résistance à l'avance des Japonais venant de Kaneohe faiblissait. Quelques-unes des mères parlaient comme si elles étaient déjà prisonnières, mais Don et Jerry se jurèrent qu'ils gagneraient les collines et combattraient jusqu'à la mort.

Ici et là, quelques familles refusèrent obstinément de quitter leurs maisons. Mme Arthur Gardiner n'avait pas grande confiance dans la solidité des habitations des officiers subalternes près de Makalapa, mais c'était là son foyer et elle tenait à s'y trouver lorsque son mari rentrerait. Elle poussa la table de la salle à manger contre le mur, et descendit quatre matelas du premier étage avec l'aide de son fils Keith, âgé de cinq ans. Elle plaça les matelas tout autour de cet abri improvisé, dans lequel elle s'installa avec Keith et Susan, âgée de deux ans. Keith était fou d'inquiétude et d'énervement, pourtant il fit de son mieux pour aider sa maman. Mais il fallut convaincre Susan, qui désobéissait ouvertement aux ordres, qu'il s'agissait d'un nouveau jeu.

Mme Paul Spangler eut l'idée de faire la lecture à ses quatre enfants, afin qu'ils se tiennent tranquilles dans le salon de sa maison d'Alewa Heights. Pour se conformer aux consignes de la défense passive, elle jeta son manteau sur une lampe, rassembla tout son petit monde dans l'étroit cercle de lumière, et commença à lire. Mais quelqu'un se mit immédiatement à taper contre la porte d'entrée en criant : « Éteignez ces lumières. » Elle renonça à ses projets et tout le monde alla se coucher.

Un certain nombre de problèmes posés par le black-out semblaient insolubles. Ainsi Allen Mau, un jeune Hawaiien de douze ans, voulait faire du cacao pour les réfugiés installés chez lui, mais quand il ouvrait la porte du frigidaire pour prendre du lait, la lumière s'allumait automatiquement à l'intérieur. Il risqua finalement son bras à l'intérieur, et faillit l'y laisser, toute la famille s'étant précipitée pour refermer la porte du frigidaire et éteindre la lumière.

Dans l'obscurité forcée, chacun pensait aux siens, aux hommes partis le matin rejoindre leur poste. Le mardi, Mme Arthur Fahrner apprit qu'une boîte de chocolat avait mystérieusement apparu dans la maison d'une amie ; cela voulait généralement dire que le sergent Fahrner n'était pas loin. Et cependant elle osait à peine espérer. Elle ne fut vraiment rassurée que le lendemain : le sergent se trouvait dans la boulangerie en train de prendre du pain lorsque la bombe était tombée sur le mess de Hickam, et il s'en était sorti sans une égratignure. Le mercredi, l'infirmière Monica Conter n'avait toujours aucune nouvelle de son fiancé le lieutenant Benning, mais elle s'efforçait de faire bonne figure. Et tout à coup, au détour d'un couloir de l'hôpital de Hickam, la porte de l'ascenseur s'ouvrit, et il apparut en tenue de combat, encore plus sale que les « poilus » qu'elle avait vus au cinéma.

Ce n'est que le jeudi matin que l'aumônier appela Mme Joseph Cote dans l'amphithéâtre de l'université. Elle alla se réfugier dans les toilettes des dames, et pria Dieu de lui donner la force d'entendre les mauvaises nouvelles. Quand elle en sortit, l'aumônier lui apprit que son mari était sain et sauf. Plus tard dans la même journée, Mme Wallace, qui avait repris son emploi civil à Pearl Harbour, s'efforçait de ne pas regarder par la fenêtre de son bureau les épaves noircies qui lui rappelaient tant de choses. Et soudain une ombre familière se profila devant la fenêtre : c'était son mari, l'enseigne Wallace, qu'elle n'avait pas vu depuis le dimanche matin. Elle plongea dans ses bras par-dessus son bureau et à travers la fenêtre ouverte. Puis tous deux allèrent se cacher dans un cagibi et éclatèrent en sanglots.

Et ce n'est que le lundi 14 décembre que Don et Jerry Morton apprirent que leur beau-père avait été tué par l'une des premières bombes tombées sur la rampe de lancement d'hydravions à l'île Ford.

Mais cette attente, cette insupportable incertitude sur le sort des êtres chers, tout cela était encore alors du domaine du futur. Durant cette sombre nuit du dimanche au lundi, les habitants de Oahu avaient des sujets d'inquiétude plus immédiats. Dans l'obscurité, les Japonais semblaient se cacher derrière chaque buisson. Après avoir mis ses enfants au lit, Mme Beecher passa une nuit blanche à écouter les frôlements suspects des branches de palmiers contre le mur de sa maison. Mme Reibe Wallace hébergea pour la nuit une jeune fille effrayée, qui croyait entendre quelqu'un marcher sur le toit. Finalement, elle s'empara d'un fusil, et jura de tuer la jeune fille, et ensuite de se tuer elle-même, si les Japonais entraient dans la maison. Ce serment calma la jeune fille à laquelle son hôtesse cacha soigneusement que le fusil en question n'avait pas de cartouches. Mme Patrick Gillis, une jeune femme de militaire, était sûre d'avoir entendu quelqu'un rôder devant sa porte. Quatre autres femmes qui vinrent la rejoindre en étaient également convaincues. La police patrouilla en vain dans le quartier.

Vers 04 h. 00 du matin, le colonel Fielder, chef du service des renseignements de l'armée, qui se trouvait à Fort Shafter, fut lui-même alerté. Quelqu'un était en train de faire des signaux à l'aide d'une lampe bleue derrière la base. Fielder prit son revolver, se coiffa de son casque et partit avec une sentinelle. Effectivement, une lumière clignotait dans la montagne. Il appela des renforts, et une escouade se déploya à travers les pâturages, traversa un torrent, cerna le secteur et fonça vers la lumière suspecte. On trouva deux vieux fermiers en train de traire leurs vaches, en se servant, comme ils en avaient reçu l'ordre, d'une lampe électrique au verre bleui. Les feuilles agitées par la brise cachaient parfois la lumière, faisant croire à un signal morse.

Le colonel Fielder ne pouvait alors le savoir, mais il n'y avait plus rien à craindre. Durant cette longue nuit d'angoisse, aucun danger ne pesait plus sur Oahu.

Les 160 000 habitants de l'île d'ascendance japonaise n'effectuèrent pas le moindre acte de sabotage, ni probablement d'espionnage. Même la conversation téléphonique du vendredi soir, au cours de laquelle le docteur Mori avait fait ces mystérieuses allusions aux hibis et aux chrysanthèmes avait été probablement parfaitement innocente. Il a toujours prétendu depuis qu'il ne s'agissait que d'un article d'« atmosphère » pour le quotidien de Tokyo « Yomiuri Shinbun », et il est de fait que son interview fut publiée intégralement — avec les références aux fleurs, dans le numéro du lundi de ce journal. À vrai dire, M. Kita, le consul général du Japon à Honolulu, n'avait guère besoin de faire appel à des renseignements extérieurs ; il disposait d'un réseau de 200 agents, et il lui suffisait de marcher pendant dix minutes pour embrasser d'un seul coup d'œil le dispositif de l'ensemble de la flotte américaine du Pacifique.

Aucune menace n'émanait de la grande escadre japonaise au nord de Oahu. Les navires de l'amiral Nagumo se trouvaient à 500 milles de Oahu et faisaient silencieusement route vers le Japon, par une forte mer, légèrement au sud de leur itinéraire d'aller. Les équipages demeuraient étrangement silencieux. Dans la salle des machines de l'*Akagi*, les mécaniciens du capitaine Tanbo n'avaient même pas heurté cérémonieusement leurs tasses de « saké ». C'était là un trait typique du caractère nippon : ils se réjouissaient bruyamment de succès insignifiants, mais les grandes victoires les laissaient froids et pensifs.

Les sous-marins japonais au sud de Oahu n'étaient guère plus dangereux. La plupart d'entre eux se cantonnèrent dans un rôle d'observation. Le commandant Katsugi Watanabe examina tranquillement l'aspect de Pearl Harbour du kiosque de l'I-69, émergé à plusieurs milles au large. Il vit les flammes qui dévoraient l'*Arizona*, et nota qu'à 21 h. 01, une forte explosion se produisit à bord. Ce moment de répit était le bienvenu, car le commandant avait passé une journée épouvantable à éviter les contre-torpilleurs américains. Quelques-uns crurent sans doute qu'ils avaient réussi à le couler, car Watanabe était un maître dans l'art de tromper l'adversaire. Il répandait sur la surface de la mer des taches d'huile, et, pour convaincre que son sous-marin avait bien été coulé, allait jusqu'à jeter dans l'eau des sandales japonaises.

À bord de l'I-24, le lieutenant de vaisseau Hashimoto s'étonnait des changements qu'une seule journée avait pu apporter à l'aspect de la côte. Les lumières qui brillaient la veille étaient toutes éteintes. Oahu n'était plus qu'une ombre obscure. L'I-24 mit le cap à l'est et fonça vers le lieu de rendez-vous assigné au sous-marin de poche de l'enseigne Sakamaki. L'ensemble de « l'Unité Spéciale d'Attaque » devait se rassembler à sept milles au sud-est de Lanai et, un à un, les sous-marins « mères » arrivèrent. Ils attendirent toute la nuit, doucement secoués par la houle, en vue l'un de l'autre. Mais pas un seul sous-marin de poche ne fit son apparition.

À bord de l'I-24, on s'aperçut que Sakamaki n'avait jamais eu l'intention de revenir. Il avait soigneusement emballé ses affaires et laissé bien en vue, prête à être postée, sa lettre d'adieu, à laquelle il avait joint une mèche de cheveux et des rognures d'ongles. Il avait pensé à laisser des instructions complètes pour l'expédition de cette lettre, et même quelques yens pour l'affranchissement.

Et pourtant, Sakamaki n'était pas mort. Après son évanouissement à la tombée du jour, le sous-marin avait dérivé vers l'est. À un moment quelconque, il dut suffisamment reprendre conscience pour faire surface et ouvrir l'écoutille. En tout cas, lorsqu'il se réveilla, vers minuit, il vit d'abord le clair de lune et, passant la tête par l'écoutille, aspira à pleines bouffées l'air frais de la nuit.

Le matelot Inagaki se réveilla à son tour, et lui aussi respira largement. Mais encore sous le coup des épreuves de la journée, il ne tarda pas à se rendormir. Sakamaki resta éveillé, jouissant de la nuit, laissant le sous-marin dériver à son gré. La mer n'était pas grosse, mais parfois une lame venait éclabousser son visage. À travers les nuages épais, les étoiles scintillaient, et la lune baignait la mer de son reflet argenté. Sakamuki se laisse envahir par des pensées dangereuses pour un homme embarqué dans une « mission suicide » ; il songea que la vie avait du bon.

Vers l'aube, le moteur stoppa, et le sous-marin partit complètement à la dérive. Sakamaki aperçut dans le jour naissant une petite île à sa droite. Il crut qu'il s'agissait de Lanai, manifestant ainsi une étonnante confiance dans les capacités de son sous-marin à se diriger lui-même. En fait, le bâtiment se trouvait très loin de la route qu'il aurait dû suivre et, ayant contourné l'extrémité orientale de Oahu, se dirigeait vers le nord-ouest.

Sakamaki réveilla Inagaki et lui montra la côte. Peut-être arriveraient-ils encore à temps au rendez-vous avec le sous-marin « mère ». Il ordonna « en avant toutes ». Le moteur démarra, puis s'arrêta, démarra à nouveau puis cala encore. Une fumée blanche s'échappa des batteries. Elles étaient à peu près mortes. Sakamaki attendit quelques minutes, comme un conducteur qui essaie de faire démarrer sa voiture quand ses batteries sont à plat, puis essaya à nouveau. Rien ne se produisit. Une fois encore. Le moteur se mit à tourner, et le sous-marin fit un bond en avant. Mais presque immédiatement, il y eut un nouveau bloc, un bruit terrible de tôle arrachée, un arrêt brutal... Une fois de plus, ils avaient heurté un récif.

Et cette fois, ils étaient irrémédiablement échoués. Il ne leur restait plus qu'une chose à faire : saborder le sous-marin. Des explosifs avaient été placés à bord justement en prévision d'un cas de ce genre, et Sakamaki alluma immédiatement la mèche. Ils la regardèrent brûler pendant quelques secondes, pour être bien sûrs qu'elle ne s'éteindrait pas. Puis ils sortirent du kiosque, et se tinrent debout sur le minuscule « pont », vêtus uniquement d'un cache-sexe. La lune disparaissait à l'ouest, tandis que le ciel commençait à s'éclairer vers l'est. Une nouvelle journée allait commencer. Les vagues bouillonnaient autour d'eux, et venaient battre la coque du sous-marin. Ils pouvaient juste deviner, à deux cents mètres, les vagues contours d'un rivage sombre et désert. Sakamaki eut une dernière crise de conscience. La tradition navale n'exigeait-elle pas qu'il meure à bord de son navire ? Mais il se dit aussitôt : après tout, pourquoi ne pas essayer de s'en sortir ? Il était un être humain, pas une machine. Il dit au revoir à son sous-marin, presque comme à un ami : « Nous partons maintenant. Explose glorieusement ! »

Il plongea vers 06 h. 40. Sa montre, qu'il avait patriotiquement laissé réglée sur l'heure de Tokyo, de quatre heures en retard sur celle de Honolulu, s'arrêta à 02 h. 10. L'eau était plus froide, les lames plus fortes qu'il ne l'aurait cru. Elles le roulèrent vigoureusement tandis qu'il essayait de gagner le rivage. Inagaki, qui s'était jeté à l'eau en même temps que lui, avait disparu. Sakamaki l'appela, et une voix lui répondit : « Lieutenant, je suis ici ! » Sakamaki finit par apercevoir une tête qui apparaissait et disparaissait dans les brisants. Il hurla quelques paroles d'encouragement, mais personne ne sait si le matelot les entendit jamais. On devait retrouver plus tard son corps rejeté sur la plage.

Tout en nageant vigoureusement vers le rivage, Sakamaki se rendit compte que la charge placée à bord du sous-marin n'avait pas explosé. L'horrible vérité le frappa en plein visage : là aussi, il avait échoué. Il voulut retourner vers le sous-marin, mais ne put y parvenir. Il ne nageait plus du tout, mais se laissait flotter au gré des vagues, toussant, avalant et crachant d'énormes gorgées d'eau de mer. Et enfin, il perdit conscience.

Lorsqu'il revint à lui, les brisants l'avaient jeté sur la plage près du terrain de Bellows. Un sergent américain nommé David Akui le contemplait avec curiosité et pointait sur lui un revolver. La guerre qui venait de commencer pour tant d'hommes était déjà terminée pour le premier prisonnier japonais Kazuo Sakamaki.

Il était alors 12 h. 20 à Washington où dix conduites intérieures noires magnifiquement polies pénétraient dans l'enceinte du Capitole. La première était entourée de trois énormes voitures, surnommées « Leviathan », « Queen Mary » et « Normandie », et remplies d'agents du service secret chargés de veiller à la sécurité du Président Franklin Roosevelt. Celuici se rendait au Congrès, pour y déclarer officiellement la guerre à l'empire du Japon.

Le convoi s'arrêta devant l'entrée sud du Capitole, et le Président des États-Unis descendit, soutenu par son fils Jimmy. Roosevelt était coiffé de sa célèbre casquette de yatchman, et Jimmy avait revêtu son uniforme de capitaine des « Marines ». Quelques applaudissements partirent de la foule contenue derrière des barrières de l'autre côté de la rue, dans le pâle soleil d'hiver. Le Président s'arrêta, sourit, et salua de la main. Ce n'était pas son large salut de campagne électorale, mais ce n'était pas non plus funèbre. Il semblait chercher un moyen terme entre la gravité et l'optimisme.

Le groupe présidentiel pénétra à l'intérieur du bâtiment du Capitole, et la foule redevint silencieuse. Çà et là, de petits groupes se rassemblaient autour des radios portatives que quelques prévoyants avaient amenées avec eux. Tous regardaient le Capitole, comme si, en étudiant ce bâtiment, ils allaient absorber un peu de ce moment historique que l'on était en train de vivre à l'intérieur.

Comme le Président lui-même, les gens n'étaient ni excités ni déprimés. Ils avaient vu des photos de foules enthousiastes rassemblées devant les chancelleries les jours de déclarations de guerre, mais ne montraient eux-mêmes aucune propension à ce genre de manifestation. Parfois, quelqu'un faisait une vague tentative pour obéir à cette tradition. Une toute jeune fille, accrochée au bras d'un marin myope et d'aspect rien moins que guerrier, s'écria : « Comment est-ce qu'une femme peut faire pour se mettre dans le coup ? »

C'était là un exemple typique de l'état d'esprit qui régnait alors. Tout comme les hommes de Pearl Harbour, qui comparaient ce qui leur arrivait aux épisodes d'un match de football ou d'un film, les gens ne savaient pas à quoi se raccrocher. Une nation foncièrement pacifique entrait en guerre, et ne savait pas comment s'y prendre.

Depuis le moment où la nouvelle avait été connue au début de l'après-midi du dimanche, les gens cherchaient, sans grand succès, la note juste. Un homme qui avait téléphoné à un journal de Detroit pour demander confirmation de ce qu'il venait d'entendre à la radio, s'écria : « Bonne chance ! » sur un ton de gaieté évidemment affectée. Un vendeur de journaux de Kansas City criait, en annonçant ses éditions spéciales : « Faut fiche en l'air les Japs ! » Et dans un café de la Vallée de San Fernando, un client sortit ce vieux cliché : « Alors, qu'est-ce que vous en pensez maintenant, de vos jardiniers japonais ? »

Les gens affichaient en même temps une naïveté qui ne peut que surprendre les populations des pays plus habitués à la guerre que ne l'étaient alors les États-Unis. Les étudiantes de Vassar, une célèbre université féminine, adoptèrent une résolution offrant au pays le bénéfice de leur « formation particulière ». Un chauffeur de taxi téléphona à la Maison-Blanche, et offrit de transporter tous les fonctionnaires à leur travail gratuitement, proposition qui ne peut manquer d'étonner rétrospectivement les fonctionnaires qui travaillèrent dans la capitale américaine pendant les années de guerre. Les membres d'une secte puritaine de Saint Louis discutèrent entre eux pour savoir s'il fallait bombarder Tokyo, et votèrent contre, en déclarant dans une résolution : « Nous sommes un peuple aux idéaux élevés. » Un habitant d'Atlanta envoya un télégramme au secrétaire à la marine Frank Knox, lui conseillant de retenir le diplomate japonais Kurusu jusqu'à ce que tous les officiers de marine américains de l'île de Wake aient été libérés. Quant à l'ancien ambassadeur des États-Unis à Moscou Joseph Davies, il examina sérieusement les possibilités pour les États-Unis d'utiliser Vladivostok comme base.

Mais la plupart des gens ne s'intéressaient pas aux bases, car ils se montraient convaincus que les États-Unis viendraient à bout du Japon sans la moindre difficulté. La masse des Américains considéraient encore les Japonais comme de petits hommes jaunes, habiles à singer les Occidentaux, mais incapables d'initiative. Beaucoup de gens, en apprenant l'étendue des dégâts à Pearl Harbour, pensèrent, comme le professeur Roland Usher, un spécialiste des questions germaniques, que la « Luftwaffe » avait dû aider les Japonais.

Mais un sentiment dominait tous les autres : la fureur. Un jour viendrait peut-être où les déclarations de guerre officielles paraîtraient démodées, où les attaques surprises sembleraient normales. On n'en était pas encore arrivé là en décembre 1941. Les Américains s'attendaient alors à ce qu'un ennemi annonce ses intentions avant d'engager le combat, et l'attaque japonaise, survenant alors que des plénipotentiaires nippons étaient encore en train de négocier à Washington, mit l'Amérique dans une rage que ne pouvaient prévoir les politiciens rusés de Tokyo. Plus tard, des discussions acharnées s'engageraient aux États-Unis sur les responsabilités encourues à Pearl Harbour ; les uns se verraient taxés d'incompétence, les autres de machiavélisme. Mais ce jour-là, il n'était pas question de discuter.

Le jeune sénateur Cabot Lodge, du Massachusetts, avait compté parmi les « neutralistes » les plus acharnés. Un mois auparavant seulement, il avait voté contre une loi permettant aux navires américains de pénétrer dans les ports alliés. Mais quelques minutes après avoir appris de la bouche d'un pompiste, en prenant de l'essence, la nouvelle de Pearl Harbour, il appela dans un discours radiodiffusé tous les Américains, quels qu'aient pu être leurs sentiments isolationnistes, à s'unir devant cette attaque. Le sénateur Arthur Vandenberg, du Michigan, qui avait dirigé le bloc isolationniste, avait appris la nouvelle alors qu'il était en train de coller dans un album les coupures de presse relatant sa longue lutte contre la participation américaine à la guerre. Il téléphona immédiatement à la Maison-Blanche, et assura le président Roosevelt de son soutien.

La presse eut la même réaction. Le *Los Angeles Times*, l'un des journaux les plus isolationnistes et les plus opposés à la politique de Roosevelt, titra : « CONDAMNATION À MORT D'UN CHIEN ENRAGÉ. » Quelques journaux cherchèrent à obtenir des leaders isolationnistes des notes discordantes, mais aucun n'y parvint. Ainsi le sénateur Burton Wheeler, du Montana, déclara, dans une interview : « La seule chose qui nous reste à faire est d'essayer de les écraser. »

Et il fallait aller vite. À Fort Houston, dans le Texas, un général de brigade nommé Dwight Eisenhower, écrasé de fatigue, après plusieurs semaines de dures manœuvres, avait donné l'ordre qu'on ne le réveille sous aucun prétexte. Mais le téléphone sonna, et sa femme l'entendit répondre : « Oui... Quand ?... J'arrive. » Avant de partir en toute hâte rejoindre son poste, il annonça la nouvelle à Mamie Eisenhower, lui dit qu'il allait au quartier général, et qu'il ne savait absolument pas quand il reviendrait.

En entrant dans la salle du Congrès pour écouter le message présidentiel, les sénateurs avaient au cœur un sentiment unanime de fureur, d'unité et d'urgence. Le leader démocrate Allen Barkley donnait le bras au leader républicain Charles McNary, le démocrate Elmer Thomas, de l'Oklahoma, donnait le bras au vieil isolationniste Hiram Johnson, de Californie.

Derrière les sénateurs marchaient les membres de la Cour Suprême en robes noires, et derrière eux les membres du Cabinet. Le général Marshall, chef d'état-major de l'armée, et l'amiral Stark, chef d'état-major de la marine, étaient assis au premier rang, et, juste derrière eux, cinq congressistes tenaient de petits enfants sur leurs genoux, donnant à la scène une surprenante note familiale. Mme Roosevelt, dans la tribune du public, était installée derrière une colonne et obligée de tendre le cou pour voir le spectacle. Non loin d'elle se tenait Mme Woodrow Wilson, veuve du Président qui avait déclaré la guerre à l'Allemagne en 1917.

Le Président pénétra dans la salle à 12 h. 29, toujours appuyé sur le bras de son fils Jimmy. Il y eut des applaudissements, une brève introduction du speaker Sam Rayburn, et Roosevelt, en jaquette, resta seul à la tribune. Il ouvrit un cahier d'écolier à couverture noire, et une formidable acclamation, à laquelle pour la première fois en neuf ans les républicains se joignirent, partit des rangs des congressistes. Roosevelt paraissait sentir la fureur de la nation. Agrippant le rebord de la tribune, il commença : « Hier, 7 décembre 1941, un jour qui restera à jamais marqué d'infamie, les États-Unis ont été l'objet d'une attaque brutale et délibérée... »

Le discours dura six minutes, et il fallut moins d'une heure pour que soit votée la déclaration de guerre, mais l'essentiel avait été dit dans la première phrase. « Infamie » fut le mot qui porta, et qui forgea l'unité de la nation jusqu'à la victoire.

Table des matières

Achevé d'imprimer sur les presses de

BUSSIÈRE

GROUPE CPI

à Saint-Amand-Montrond (Cher)
en mai 2001

POCKET - 12, avenue d'Italie - 75627 Paris Cedex 13
Tél. : 01-44-16-05-00

— N° d'imp. 12868. —
Dépôt légal : mai 2001.

Imprimé en France